Charles Aznavour

Une légende hors du temps

Dans la même collection

Liz Taylor
Ses amours, ses passions, son fabuleux destin

Annie Girardot*. Pour le meilleur et pour le pire !*
Le destin d'une star authentique

Jean-Paul Belmondo
Un demi-siècle de carrière, une Palme d'or et la rage de vaincre

Anne Sinclair
Une femme dans la tourmente

Carla Bruni
La légende dorée de l'épouse du Président

Claude François
Cloclo toujours là !

Steve Jobs
Du visionnaire de génie au dernier clic

Brigitte Bardot
À la rencontre de B.B.

Johnny Hallyday
Jusqu'au bout avec Johnny...

Jean-Luc Delarue
Les dessous de l'affaire

Vanessa Paradis
Sa nouvelle vie !

Céline Dion
Les secrets de son incroyable réussite...

Éditions **Exclusif**
60, avenue Charles-de-Gaulle
92200 Neuilly-sur-Seine.
Tél. et Fax. : 01.46.43.09.24.
e-mail : exclusif.edit@wanadoo.fr

Imprimé en France

I.S.B.N. : 978-2-8489-1129-8

Claire Lescure

Charles Aznavour

Une légende hors du temps

Collection Privée

Avant-propos

Non, je n'ai rien oublié...

Charles Aznavour m'accompagne depuis ma plus tendre enfance et, quand le tourbillon de la vie a éloigné l'homme, l'auteur, avec ses mots d'ambre, généreux et pudiques, a gravé à jamais son empreinte dans les sillons de ma mémoire.

Non, je n'ai rien oublié...

J'avais deux ans à peine et je ne comprenais pas pourquoi ces grandes personnes s'agitaient ainsi devant des robots noirs, en répétant plusieurs fois de suite, les mêmes phrases et les même gestes.

J'avais promis à maman d'être sage, mais ces bruits de claps, suivis de l'injonction tonitruante: *Moteur!* me déchiraient les oreilles et me faisaient monter les larmes aux yeux.

Pour oublier ce vacarme, je me recroquevillai dans mon coin, me concentrant sur le dessin que j'allais offrir à maman, avec cette jolie boîte de crayons de couleur, dont elle m'avait fait cadeau le matin même.

Quand je levai les yeux de ma feuille, je vis, de l'autre

côté du plateau, un jeune homme que je reconnus, déjà, pour mon âme-sœur.

Le front penché sur un cahier d'écolier, oublieux de toute cette agitation : il écrivait. De temps en temps, il relevait sa tête de Pierrot lunaire, mâchonnait son crayon de papier et se livrait à une mimique qui m'arracha un sourire : ses sourcils fournis prenaient l'allure de deux accents circonflexes, en signe de profonde méditation. Du moins c'est ainsi que je l'analysais plus tard, quand la conscience vint au secours de ma mémoire !

Ce jeune garçon – il avait 23 ans – était si absorbé par sa tâche, que son compagnon dût lui taper plusieurs fois sur l'épaule pour lui signifier que c'était leur tour de rejoindre la scène.

Lorsque maman parut, ce n'était plus la sévère madame Chomelette, elle était redevenue elle, tout simplement. Je n'ai d'ailleurs jamais compris comment celle, que j'appelai dans l'intimité : ma douce, pouvait endosser devant la caméra, des rôles durs et autoritaires, aux antipodes de cette tendresse dont elle faisait preuve à la ville.

Quand elle eut admiré mon dessin informe, je lui demandai, désignant l'olibrius en train de chanter avec son comparse : *c'est qui, lui ?*

– C'est Charles Aznavour, ma chérie, il chante en duo avec son ami Pierre Roche et il écrit des chansons.

– Aznamour, m'exclamai-je, il est bien joli son nom !

Maman pouffa de rire et, désormais, chaque fois qu'elle recevait des amis dans son bel appartement du Champ de Mars, elle ne manquait pas d'évoquer celui que tous, sur le plateau, nommaient "le scribe".

– Comment s'appelait-il déjà ce jeune chanteur sur le tournage *D'adieu chérie* ?

– Aznamour, maman, voyons !

Cette réplique amusait la galerie. Aussi même si j'avais depuis longtemps compris ma faute, je la renouvelai à satiété, pour faire plaisir à maman, bien sûr, mais aussi, je l'avoue, avec une once de cabotinage.

Non, je n'ai rien oublié…

À la maison, nous avions un vieux phono et j'écoutai – en boucle et en cachette – un 45 tours de Charles Aznavour, prêté par une copine. Il portait la mention : "*Interdit aux moins de 16 ans*" et j'en avais 10.

Après l'amour… Tout un programme pour une petite fille curieuse et précoce ! La voix d'alcôve du chanteur me bouleversait et, même si je ne comprenais pas toutes les paroles, cette chanson berça mes premiers émois… Jamais Charles Aznamour n'avait si bien porté son nom !

L'année de mes 13 ans, je passai mes vacances dans notre maison de campagne. Maman, jouait alors au *Théâtre du Palais Royal,* une pièce de Jean de Létraz. Je n'avais pas eu le droit d'assister à la première de ce vaudeville indécent, que la douce qualifiait… de caleçonnade !

Notre maison se situait dans un charmant petit village, en lisière de la forêt de l'Isle-Adam : Nesles-la-Vallée. J'y traînai des jours maussades, en compagnie d'un couple de duègnes, d'âge on ne peut plus canonique.

Ce jour là, branle-bas de combat, maman avait donné consigne à mes "nannies" de briquer la maison de fond en comble : elle avait invité un couple d'amis artistes à passer leur nuit de noces chez nous.

Lui, c'était Fred Pasquali, un acteur et metteur en scène renommé. Elle, c'était une jeune et ravissante comédienne, nommée Geneviève Kervine.

Dès leur arrivée – ils avaient échangé leurs vœux devant Monsieur le Maire le matin même – je fus surprise de voir combien ce couple était disparate. Le marié devait friser les 50 carats, mesurait environ 1,60 m et arborait une calvitie avancée. Son épouse, blonde, grande et svelte, devait avoir la moitié de son âge. Pourtant, elle badait son petit homme, comme s'il eût s'agit de la huitième merveille du monde.

Pendant le dîner, chacun relatait avec verve ses souvenirs de plateau. Fred Pasquali venait de mettre en scène, aux *Célestins* de Lyon, une opérette de Francis Lopez et Raymond Vincy : *À la Jamaïque* et ne tarissait pas d'éloges sur Maria Candido, une piquante brunette à la voix d'or.

De toute évidence, ce discours agaçait son épouse, dont les regards jaloux n'échappaient à personne. Aussi, pour ne pas demeurer en reste, Geneviève s'épancha sur les souvenirs de plateau de ses derniers tournages : *Paris Music-hall* et *Une gosse sensass'*.

– J'y ai rencontré un acteur étonnant qui est aussi chanteur, nous dit-elle, il ne parle pas beaucoup mais nous avons sympathisé.

– Ah oui, cet Arménien haut comme trois pommes et à la voix éraillée, répliqua Fred… Décidément, ma chérie, tu as du goût pour les petits hommes…

Désireuse de calmer le jeu, ma mère lança :

– Mais je le connais ce Charles Aznavour, j'ai tourné avec lui dans *Adieu chérie* de Raymond Bernard, il y tenait un petit rôle, mais son talent était prometteur. Tu te souviens, ma chérie, dit-elle en me prenant à témoin, quand tu étais petite, tu l'appelais Aznamour !

Comment aurais-je pu l'oublier ? Il m'avait non seulement offert mes premiers succès comiques en société, mais aussi mes premières émotions interdites dans le privé.

– Et bien on peut dire qu'il a fait du chemin, reprit ma mère...

– Pas étonnant, répliqua insidieusement Pasquali, il a fait ses classes avec Piaf.

– Je ne savais pas qu'ils étaient amants s'esclaffa Geneviève...

– Mais non, ma chérie, la Môme a meilleur goût que ça ! Il est seulement son secrétaire et son chauffeur même si, à l'occasion, il lui écrit quelques chansonnettes.

– Je te trouve injuste, Fred, insista la jeune femme, non seulement cet homme a beaucoup de talent, mais il a aussi beaucoup de charme.

L'époux se renfrogna et ma mère sut, habilement faire dériver la conversation, soucieuse d'éviter à ses amis une nuit de noces qui vire au fiasco.

Quant à moi, je buvais du petit lait, ne regrettant qu'une chose : l'absence de mon phono et de mon disque fétiche. Passer en douce *Après l'amour* eut mis un point d'orgue magistral à des ébats qui, déjà, enfiévraient mon imagination d'adolescente.

Deux ans plus tard, je fêtais avec maman mon anniversaire chez Fernand Sardou, dans son restaurant-spectacle de la rue Lepic. Son fils Michel y faisait ses débuts de chanteur et notre hôte nous le présenta après sa prestation.

Je ne sais pas comment le nom de Charles Aznavour vint sur le tapis, toujours est-il que Michel nous proposa deux "exos" pour la première d'Aznavour à *l'Alhambra*.

– Je ne peux malheureusement pas y assister, nous dit-il, je pars en tournée demain matin. Je suis certain que vous passerez une bonne soirée.

Je piquai un fard quand ma mère ajouta, en remerciant le jeune artiste :

– Ce n'est pas trop osé pour la petite au moins ?

– Mais non, voyons Alice, intervint Jackie Sardou, avec sa faconde inimitable, ne joue pas les mamans poules, à 15 ans, il faut bien que la petite se déniaise !

Ce n'était pas la première fois que ma mère m'emmenait au music-hall, j'avais déjà assisté aux shows de Maurice Chevalier, d'Yves Montand et d'Édith Piaf. Pourtant, cette soirée reste marquée au fer rouge dans ma mémoire.

Non, je n'ai rien oublié...

Quand Charles Aznavour apparut sur scène, maman me glissa à l'oreille :

– Il est vraiment pas beau !

– Moi je le trouve magnifique, dis-je.

Elle me regarda, surprise, mais, quand il eut chanté les trois premières chansons, elle fit amende honorable...

– Tu as raison ma chérie, il est magnifique. On dirait même qu'il grandit au fur et à mesure qu'il chante !

– Tout comme Piaf, dis-je, la scène transcende ces artistes d'exception. Elle les magnifie.

Je pensais toutefois, en moi-même, que si Piaf chantait avec ses tripes, "goualant" l'univers particulier des pavés des faubourgs où s'était forgée sa jeunesse, Aznavour, lui, chantait avec son cœur, son optimisme et son formidable talent d'acteur, des situations du quotidien dans lesquelles pouvaient se projeter le plus grand nombre. Ce qui me frappa aussi, c'était la précision et la qualité de ses rimes, dont certaines, ciselées de main d'orfèvre, faisaient la pige même au père Hugo.

À partir de ce jour, je n'ai plus jamais raté une prestation de Charles Aznavour sur scène, et ses chansons ont toutes marquées un moment clef de ma vie...

Non, je n'ai rien oublié...

Plusieurs fois nous nous sommes croisés dans les coulisses où je venais mendier un autographe. Dans ses tournées où, incidemment, ma chambre côtoyait la sienne et où je me gargarisai de ses vocalises. Je l'ai même côtoyé sur une péniche, au *Shogun*, où je fêtais mes dix ans de mariage...

Pourtant, jamais je n'ai usé des mes prérogatives de journaliste pour m'imposer. Même quand j'étais potineuse de la rubrique *Confidentiel* à *Paris-Jour*, je n'ai jamais divulgué les news – souvent fausses ou malveillantes – que me donnaient mes informateurs.

J'ai également fréquenté son *nègre littéraire* (ce n'est pas un scoop, Charles en parle lui-même dans ses livres !) qui a mis en forme sa première biographie : *Aznavour par Aznavour*, parue chez *Flammarion*. Il n'eut tenu qu'à moi, avec un sourire et deux doigts de diplomatie, d'obtenir quelques anecdotes croustillantes : je ne l'ai pas fait. Peut-on trahir un ami d'enfance !

En revanche, j'ai retrouvé Charles Aznavour, tel qu'en lui-même, dans ses deux livres : *À voix basse* et *D'une porte à l'autre*, parus aux *éditions Don Quichotte*. Pas de doute, les mots exprimés là étaient bien les siens. Sans caviardage ni retouche. Un joyeux et fascinant foutoir où Charles Aznavour vide son sac, joue à saute-mouton avec les idées et nous livre une mémoire éclatée, au gré de sa plume… comme ça vient !

Quand j'ai eu l'occasion de lui en toucher deux mots, au *Salon du livre de Nice* où il présentait un des volets de son autobiographie, je ne lui ai pas dit : *salut l'artiste !* Mais *bravo l'auteur !* Car pour moi, c'est avant tout cela Charles Aznavour : un auteur.

Chacun de ses mots, de ses phrases, de ses conseils d'Ancien, est une maxime, un condensé d'intelligence. J'avoue que j'ai d'ailleurs eu beaucoup de mal à choisir un florilège de ses citations, tant toutes mériteraient d'être retenues.

Pour conclure, je n'ai qu'un reproche à faire à Charles Aznavour : n'avoir laissé aucune chance aux plumitifs dont je suis, de parler de lui mieux qu'il ne le fait lui-même.

J'espère, toutefois, vous présenter dans ce livre "le meilleur de Charles Aznavour". Un digest, une compilation de ce qu'il fut, de ce qu'il est, et de ce qu'il sera, longtemps encore, pour notre plus grand plaisir.

Non, je n'ai rien oublié car *"Avec de la mémoire on se tire de tout"*, comme le dit si bien Alfred de Musset !

PREMIÈRE PARTIE

Sa jeunesse

J'étais plus vieux quand j'étais jeune.
Quand on doit rapporter du pain,
tous les jours, à la maison,
quand les parents s'impliquent dans la résistance,
qu'on vit avec le danger, on vieillit vite…
Quand la mémoire du grand massacre d'Arménie
pèse sur l'enfance, on n'est plus jeune.
Après j'ai rajeuni, avec la réussite, Ulla, les enfants…

Le clan Aznavourian

"Mon nom, Aznavourian, était depuis un siècle attaché à l'exil. Partis en 1825 d'Erzeroum (Turquie), les frères Aznavourian avaient pris des chemins différents : le premier s'était dirigé vers la Géorgie, le deuxième vers l'Autriche, le troisième, ancêtre de mon père, vers l'Arménie.

La famille de ma mère, elle, s'était fixée à Adapazari, en Turquie, mais c'est à Istanbul que mes parents se rencontrèrent. C'est aussi d'Istanbul qu'ils durent fuir pour sauver leur vie et gagner la France.

Ironie de l'histoire, cette destination était censée former une simple escale dans le voyage qui les mènerait jusqu'en Amérique. Elle devint leur pays et le mien".

(Charles Aznavour : *À voix basse*).

*

* *

En 1924, Mischa et Knar Aznavourian, de jeunes artistes, fuient les persécutions anti-arméniennes et arrivent à Paris, en provenance de Turquie via la Grèce. Le père, Mischa, Géorgien, n'a pas été inquiété, la mère, Knar, est, avec sa grand-mère, la seule rescapée de la famille.

Les Aznavourian ont une fille, Aïda, née l'année précédente à Salonique. Apatrides, ils attendent un visa pour les États-Unis.

Le 22 mai 1924, peu après minuit, Vaneragh - rebaptisé Charles par la sage-femme - pousse son premier cri dans une clinique de la rue d'Assas.

– Je me suis toujours enorgueilli de ma date de naissance printanière et de sa concordance avec l'ordre des saisons. (...) J'entrai dans une curieuse famille, pauvre et riche d'amour, de tendresse et de soin.

Le couple s'installe à Paris avec ses deux enfants, dans un hôtel meublé, 38 rue Monsieur le Prince. Pour ces rescapés de l'enfer et leur descendance, la France allait devenir un paradis au doux nom de Quartier latin.

La chambre de 25 m^2 est exiguë et manque de confort mais... quelle adresse ! Charles y voit déjà là un signe du destin !

– C'est dans ce paradis-là que j'ouvris les yeux. Tel est le début du roman que le père Destin voulut bien écrire pour moi. Il le fit commencer à deux pas de la Sorbonne, me donnant ainsi la première opportunité de ma jeune existence. Les rues, les immeubles, les bras de la Seine, tout autour de moi me bercerait d'art et de belles lettres.

Le papa de Charles, Misha, est le fils d'un cuisinier du tsar Nicolas II. Cet ex-baryton, né en Géorgie, le 27 mai 1895, est un homme léger, mais responsable, qui a une confiance aveugle en l'avenir.

– Mon père avait un caractère facile, attirant l'amitié, toujours prêt à faire la fête, à partager, à chanter, aimant le vin, la bonne chère et les amis, sans pour autant sacrifier sa famille.

La maman de Charles, Knar Boghossian, est née arménienne en 1902, en Turquie. Sa famille a été exterminée par les Turcs en 1915, un jour qu'elle et sa grand-mère n'étaient pas au village. Elle devint une rescapée, qui exposait ses morts dans des cadres et se souvenait en silence.

Ensemble le couple chante à la chorale de la jeunesse arménienne française. Mais à la maison, Misha entonne Trenet, *Y a d'la joie* et Knar fredonne Piaf qui chante la mort.

– J'ai hérité de la douleur de ma mère et de l'optimisme de mon père.

Dans son pays Knar était comédienne mais ici, en France, c'est avec sa machine à coudre Singer à pédale, dans le halo de lumière de la lampe à pétrole, qu'elle brode pour de grandes maisons de confection et emplit la bourse familiale que les rêves artistiques laissent vide.

– Je m'endormais au son de sa machine à coudre battant la mesure du bout du pied (ce que je continue de faire chaque nuit), et je rêvais de trains, d'avions et de bêtes sauvages grognant et gémissant dans la nuit des travailleuses.

Knar est un petit bout de femme, qui chausse du 33 et a bien du mal à trouver chaussure à son pied, mais elle donne à son fils l'illusion qu'il est grand et fort. D'elle, Charles tient sa petite taille et ses yeux surmontés de sourcils noirs, qui se courbent avec l'émotion.

Plus tard quand on raillera ses débuts de chanteur, son mètre soixante et sa voix écorchée elle lui dira :

– *Moi, je te trouve beau, mon fils.*

– *C'est vrai que la guenon, aussi, trouve son fils très beau* répondra-t-il en rigolant.

Knar, dès qu'elle a apprivoisé la langue de chez nous, décroche quelques petits rôles dans les matinées artistiques. Elle joue même une pièce à la télévision, avec Michel Vitold, où elle incarne une mère arménienne.

– *À la maison, lorsque j'étais enfant, le français était certes balbutiant, mais la culture ne nous faisait jamais défaut : entre les écrivains arméniens, russes, turcs, grecs, iraniens, les chants et les guitares tziganes, j'étais servi. La poésie et la musique entraient chaque jour dans mon esprit et ma mémoire. Petit à petit, mes goûts se façonnaient.*

Et puis il y a Aïda, la sœur aînée de Charles, elle a 16 mois de plus que lui mais ils sont élevés comme des jumeaux…

– *Aujourd'hui, nous le sommes toujours. Nous faisons les mêmes rêves et connaissons les mêmes petites douleurs de l'âge, les mêmes insomnies aussi. (...) Nous avons les mêmes goûts, les mêmes grincements de dents, la même définition de la vie, de l'amour familial et de l'amitié. Au fond, Aïda est ma petite sœur, et moi, je suis son petit frère.*

Charles vouera toujours une grande admiration à sa sœur, pour son talent d'abord : *Elle a toujours été la meilleure musicienne de la famille.* Mais aussi pour son abnégation :

– Aïda n'a pas hésité à étouffer son talent pour se mettre au service de son mari, le compositeur Georges Garvarentz, et au mien. Elle est notre talent de l'ombre…

Voici, tracé à grands traits, le portrait des protagonistes du clan Aznavourian : quatre personnes unies… comme les cinq doigts de la main… Mais qui est donc ce mystérieux cinquième doigt ? Ma tante "of course", autrement dit le mont-de-piété. Un lieu où la famille se rend assez régulièrement pour mettre en gage bijoux ou menus objets, quand la disette fait rage… Mais c'est toujours avec philosophie et bonne humeur…

– Mon père était un homme insouciant, il faisait confiance au destin. Ainsi dans la famille, nous tirions souvent le diable par la queue, mais les pires situations – quand par exemple nos biens étaient engagés au mont-de-piété et que l'on ne voyait pas d'issue à notre misère – étaient toujours soulignées d'un : "Ah Dieu, il va nous arranger ça !" Et il l'arrangeait, le bonhomme…

Quand Charles a 5 ans, la famille Aznavourian déménage pour un meublé de la rue Saint-Jacques.

Misha ouvre un petit restaurant arménien rue de la Huchette : *Le Caucase*, à l'emplacement de l'actuel *Théâtre de la Huchette*.

L'endroit est fréquenté par de nombreux étudiants et par des exilés de Russie et d'Arménie, tous attirés par le slogan de Misha : *Chez Aznavour, on y court !*

Misha engage un orchestre tzigane et, selon la tradition, tout le monde chante au dessert. Il anime aussi les soirées jusque tard dans la nuit en s'accompagnant au *târ* (guitare caucasienne).

Mais Misha est meilleur animateur et chanteur que commerçant : il oublie souvent les ardoises de ses clients. Un an plus tard, il est obligé de fermer son restaurant. Les petits boulots s'enchaînent alors : cuistot, maître d'hôtel, brocanteur, mais cela n'entame pas sa belle humeur et le clan est plus uni que jamais.

– *Chez nous, la vie s'écoulait comme si nous étions nés en bloc tous les quatre, en émigration à Paris et que notre existence terrestre s'était faite par miracle.*

Nouveau déménagement, mais toujours dans le même quartier, rue des Fossés Saint-Jacques.

À la maison, l'atmosphère est joyeuse, Misha a acheté un phonographe et des disques : tango, musique orientale, derniers succès de l'époque, avec une prédilection pour Tino Rossi…

Dans le salon, il y a un piano et des partitions de chansons et de mélodies françaises semi-classiques, comme les airs de Reynaldo Hahn.

Charles joue du violon. Misha du târ, du kamântché ou du deff, tandis que sa sœur Aïda ou sa mère Knar l'accompagnent au piano.

Misha organise aussi des bœufs avec ses amis, qui ont toujours table ouverte, malgré les maigres ressources du couple.

– *Papa chantait, c'était son métier. Mais il chantait de naissance. Les musiciens n'avaient pas besoin de lui demander sur quel ton car il les maîtrisait absolument tous, avec une belle voix de baryton. Il faisait pleurer les dames de l'assistance avec sa spécialité : les chansons du poète troubadour Sayat Nova. Je me rappelle qu'il chantait souvent les yeux fermés, c'est d'ail-*

leurs une chose que je tiens de lui. S'il avait possédé la langue à son arrivée en France, je suis persuadé qu'il aurait pu faire une jolie carrière, dans un style mi-crooner, mi-réaliste

Les enfants participent à ces soirées musicales et ne regagnent leurs lits-cages que lorsqu'ils tombent de sommeil : chez les Aznavourian... il est interdit d'interdire.

– *Je crois ne jamais avoir entendu mon père se plaindre ou crier. Jamais il ne nous a réprimandés, ma sœur et moi. Il nous laissait la bride sur le cou.*

Et l'école, me direz-vous ? Charles et Aïda font, bien sûr, un passage obligé à la communale, même s'ils dorment parfois près du radiateur quand la veillée a été longue.

Certains des amis du clan s'inquiètent de cette enfance bohème. Ils murmurent tout bas : *Ces enfants vont tourner mal !* Ils ne savent pas que, grâce à cette liberté consentie et leur amour de l'art, Misha et Knar sont en train de leur ouvrir une porte : ces enfants de la balle vont s'y engouffrer et elle ne se refermera jamais.

– *J'ai très tôt été bercé par la musique et le théâtre, car mes parents, véritables artistes et amoureux des arts, chantaient et jouaient la comédie bien avant de mettre le pied dans leur pays d'accueil. C'est d'ailleurs par le théâtre que la scène s'est ouverte à moi...*

Le théâtre, les deux gamins en rêvent, stimulés par les récits de leurs parents, mais les places sont chères, et ce n'est que quatre ans plus tard qu'ils le découvriront... mais en tant qu'acteurs.

En attendant, Charles et Aïda jouent des pièces inventées, avec force déguisements et accessoires. Pour le maquillage, en professionnels précoces, ils utilisent les bâtonnets *Leichner*, dont tous les acteurs d'Europe se servaient à l'époque, et qu'ils empruntent à leurs parents.

Avant de fouler la scène, c'est au cinéma qu'ils font leur éducation artistique.

– Lorsque j'étais très jeune encore, mon père nous emmenait deux à trois fois par semaine dans les salles obscures. Combien de merveilleux films ai-je vus avec lui ! Il y avait notamment les dimanches matin au Théâtre Pigalle. C'était le cinéma soviétique pour tout le monde, et propagande communiste à tout-va. Nous, les enfants, ne nous en rendions pas compte, seuls nous importaient les acteurs.

La guerre venue, ils feront la connaissance du cinéma selon Goebbels, le ministre de la Propagande hitlérienne. Mais le bourrage de crâne, c'est le cadet de leurs soucis ! Même si la production outre-Rhin ne suffit pas à leur faire oublier le cinéma hollywoodien de leur prime enfance, elle étanche globalement leur soif de salles obscures.

– Si je suis à ce point cinéphile, je le dois à mes parents, qui nous ont éduqués aux écrans de toile. Charlie Chaplin, Ivan Mosjoukine, Harry Baur, nos premières idoles du temps du muet, nous laissaient muets nous aussi, mais d'admiration. Quand vinrent le parlant et le chantant, nous découvrîmes Danielle Darrieux, Charles Boyer, Raimu, Robert Le Vigan, Victor Boucher et les autres, et puis aussi les éternels seconds rôles, comme Jean Tissier, Julien Carette, Saturnin Fabre, ou encore Pierre Larquey. Comment les oublier ?

Plus tard, quand le succès et l'argent seront au rendez-vous, Charles Aznavour aidera ses parents, comme il l'a toujours fait étant enfant.

– Mon père a été mon père jusqu'à ma majorité, date à laquelle je devins peu à peu le sien. Il a accepté cette situation qui s'est imposée d'elle-même lorsque, par la force des choses et des difficultés de l'époque, je suis devenu celui qui rapportait l'argent à la maison.

Je trouve d'ailleurs tout à fait naturel, après les soucis qu'il a connus pour nous élever, après qu'il a renoncé à ses penchants bohèmes, après qu'il a sacrifié sa véritable profession pour accepter n'importe quel emploi et subvenir aux besoins de ses enfants, que les rôles se soient inversés, et qu'à leur tour, les enfants rendent la part qui leur a été donnée, avec plus d'amour que de sens du devoir.

Mais ce qui fait particulièrement chaud au cœur de Charles : c'est la fierté et le regard ébloui de sa mère…

– Elle m'a vu à mes débuts sur Broadway, elle a connu ce moment où l'on ne vous conteste plus.

Une fois, Knar a pris le bras de son mari juste pour aller regarder une affiche géante de son fils, à côté du *Moulin-Rouge*. Le baryton et la comédienne se sont postés sur le trottoir et ont levé les yeux vers la tête d'affiche, qui avait attendu une génération pour leur sourire.

Hélas, Knar n'aura pas connu Charles vedette planétaire, *artiste de variétés du siècle* comme l'avait sacré *Time Magazine*.

Elle est morte à 60 ans, Charles était à New York, pour un récital. Elle, était à Moscou. Elle a fait un malaise à l'aéroport, en montant un escalier. Elle revenait d'Arménie.

Charles a loué une Caravelle d'Air France, a fait le voyage avec les siens et a enterré sa mère en France, puis il a repris sa tournée américaine. Il devait y présenter sa nouvelle chanson : *La Mamma…*

- *Je l'ai fait,* dit-il, *comme elle l'aurait voulu.*

Charles se souvient très bien de ce qu'elle lui avait glissé ainsi qu'à sa sœur, le jour où le grand-père paternel est mort. Il avait 11 ans, avait déjà fait quelques apparitions au *Théâtre du Petit Monde,* et devait aller au cinéma. Elle lui a dit :

– *Les autres sont en deuil, pas vous, vous êtes des artistes !*

De l’école du spectacle aux feux de la rampe

“Le métier de la scène, ce métier que je pratique maintenant depuis 1933, je n’ai finalement jamais choisi de l’exercer : il s’est introduit en moi d’un seul coup, sans que je m’y attende. Alors que j’étais encore un tout jeune enfant, il m’a semblé un jour que l’on avait ouvert des vannes et qu’un flot de notes et de mots s’en était échappé pour inonder mon univers, déjà baigné par les arts du spectacle. Je voulus être acteur…”

*

* *

Misha a pris la gérance d’un petit café, rue du Cardinal-Lemoine, au cœur de Paris. Coïncidence heureuse, il y a juste en face l’un de ces établissements que l’on nommait encore à l’époque, *L’école du spectacle*.

Cette école est mixte, et les parents y inscrivent Charles et sa sœur Aïda. Pratique ! Ils n’ont qu’à traverser la rue pour s’y rendre…

La particularité de l’endroit, c’est que les enfants qui jouent au théâtre le soir ne viennent suivre des cours que l’après-midi. Quant à ceux qui prennent des cours de danse ou de chant et qui ont des répétitions l'après-midi, ils ne viennent que le matin.

Lorsqu'un metteur en scène recherche un enfant pour un rôle dans un film ou une pièce, il se présente aux professeurs, qui alignent alors, en vue du choix, les élèves au fond de la cour ou sous le préau.

Le lendemain même de son entrée à l'école, un metteur en scène recrute Charles, 9 ans, pour jouer dans une pièce allemande : *Émile et les détectives*, au *Studio des Champs-Élysées*. Il y interprète un petit Africain.

À 11 ans, Charles joue deux petits rôles dans deux théâtres opposés. Il court de l'un à l'autre, pour ne pas rater son entrée sur scène.

Les apparitions et les rôles s'enchaînent Charles donne la réplique aux plus grands dans les théâtres *Marigny*, de *la Madeleine*, de *l'Odéon*, puis il part en tournée dans les villes de province, contrats en poche et cachets à la clé.

Quand Charles Aznavour se retourne sur son passé, il s'interroge :

– *Étions-nous faits pour le monde du spectacle ? Qui pourrait le dire ? Personne, et surtout pas moi. La question, tout simplement, ne se posait pas, car entre la pauvreté et la queue du diable, ma sœur et moi n'avions guère le choix.*

Si je devais résumer les choses, je dirais qu'un jour une porte s'est ouverte et que, sans y réfléchir plus avant, nous nous sommes faufilés dans l'entrebâillement. Nous avons alors été pris dans l'engrenage de la scène. Pas du succès, non, à neuf, dix ans, il ne nous importait que très peu. Cela n'a pas empêché les opportunités théâtrales de devenir notre raison de vivre.

Nouvel échec commercial pour Misha, il vend son café et la famille déménage encore, cette fois dans le Marais. Ils habitent désormais rue de Béarn, près du quartier juif, où le jeune Charles se fera une nouvelle culture musicale.

Dans un magasin de musique, Charles entend un disque de Maurice Chevalier : *Donnez-moi la main* : c'est le déclic, à 12 ans, il décide qu'il deviendra chanteur.

Ce rêve, il est à deux doigts de le concrétiser car, l'année de ses 13 ans, il rejoint sa sœur dans la troupe du chanteur méridional : *Prior et ses Cigalounettes*, qui se produit dans les villes de Provence.

Sur scène, Charles et Aïda alternent piano, chanson, danse, saut périlleux… Le grand Mayol les félicite et leur prédit un bel avenir. Ils gagnent bien leur vie, mais Prior dépose le bilan et ils doivent rentrer à Paris la mort dans l'âme.

À 14 ans, Charles décide qu'il est temps de passer son certificat d'études. Son école lui répond vertement qu'il n'a pas le niveau, une expression qui, aujourd'hui encore lui reste en travers de la gorge !

– Lorsque j'entends dire à propos de tel jeune homme "qu'il n'a pas le niveau pour passer le bac", je ne peux m'empêcher de me revoir enfant, moi, à qui mon école contestait même le niveau nécessaire pour présenter le certificat d'études ! À l'époque, loin de céder au découragement, je m'étais inscrit dans une autre école, où je l'obtins. Ce diplôme, mon unique prix de littéraire, le seul qui compte vraiment à mes yeux, je l'ai malheureusement perdu et il m'est impossible d'en obtenir un duplicata. Pensez donc, cela fait soixante-quatorze ans ! C'est dommage, car il symbolise mon premier combat gagné

contre le pessimisme d'autrui, et en cela, il a contribué à forger mon caractère.

Il se rappelle encore son oral du certificat d'études. Il avait commencé ce jour-là par un grand succès de l'époque : *Marinella,* du répertoire de Tino Rossi.

– *Quel est votre nom ?* lui demande l'examinateur après sa prestation.

– *Charles Aznavourian,* répondit-il.

– *Eh bien,* renchérit l'homme, *Charles Aznavourian, chantez-moi La Marseillaise.*

– *Je m'exécutai : premier couplet, deuxième couplet, bientôt le troisième. Il m'arrêta en plein vol. Moi, j'étais prêt à continuer, je n'avais pas épuisé mes réserves. J'aurais pu, au grand étonnement de mon examinateur, dérouler cette belle langue tout le long des sept strophes.*

Son diplôme en poche Charles dévore les films de comédies musicales américaines, au *Cinéac* du faubourg Montmartre. Mais le théâtre et le music-hall sont ses lieux de prédilection.

– *J'étais de toutes les auditions et de tous les rendez-vous utiles. Très tôt, je fréquentai les promenoirs des music-halls, les théâtres et les cinémas de quartier pour me remplir le cœur et l'esprit de ce que Paris proposait au public : Le spectateur que j'étais avait une préférence pour Sacha Guitry. Je me mis aussi à écouter la radio de nuit et à lire.*

Après ses première apparitions sur scène, Charles débute dans des petits rôles au cinéma comme *La guerre des gosses* de Jacques Daroy.

Pourtant, il n'a pas oublié son rêve : devenir chanteur et, accompagné de son père, Charles court les crochets organisés par les cafés et il les gagne souvent. Avec Aïda, il chante à *Radio 37*, dans l'émission : *Au bar des vedettes*, présentée par Jacques Chabannes et Roger Féral.

Grâce à la bourse que lui accorde un riche Arménien : une chance dont Charles se serait bien passé, Misha l'inscrit à *l'École centrale de TSF*, rue de la Lune…

– J'y fis un court passage, où je n'appris strictement rien si ce n'est quelques astuces pour la réparation de radios marines. Comme je n'allais pas en mer, il n'y avait pas grand-chose là qui pût m'intéresser.

Après une audition devant Henri Varna, Charles est engagé à l'*Alcazar de Paris* (actuel *Palace*), dans la revue *Vive Marseille !* dont la vedette est Berval. Il fait aussi une brève apparition dans le film : *Les disparus de Saint-Agil* de Christian-Jaque.

Ses parents déménagent à nouveau, rue de Navarin, dans le 9e arrondissement de Paris, à deux pas de la rue des Martyrs. La période est aux vaches maigres et Charles est obligé de travailler. Il quitte (avec soulagement) *l'École centrale de TSF* et devient commis pâtissier et vendeur de journaux à la criée sur les boulevards.

L'enfant est fier de rapporter sa paie à la maison pour aider la famille, mais tout bascule lors de la déclaration de guerre de septembre 1939. Misha part au front et les deux minots ne cessent de courir les rôles et les tournées, difficultés financières obligent !

– Dieu merci, nous n'avons pas manqué d'engagements. Ajoutés aux travaux de couture qu'accomplissait ma mère, nos cachets nous permettaient de vivre, certes dans l'économie, mais sans trop nous priver. On a la jeunesse que l'on peut.

Démobilisé, après l'armistice du 17 juin, Misha traversera le pays à pied pour regagner Paris. Il rencontre alors, par l'intermédiaire de Missak Manouchian – poète et militant communiste qui dirigeait un réseau actif de la Résistance – des Russes et des Arméniens enrôlés de force dans l'armée allemande et qui ont déserté. Il les accueille chez lui et les aide à entrer dans la clandestinité. Le couple héberge également trois Juifs, en toute humanité et en toute inconscience.

– *Ce n'est qu'après la mort de mes parents que je me rendis réellement compte qu'ils avaient accompli leur devoir de futurs Français. Ils ne devaient être naturalisés qu'après la guerre, pour faits de résistance.*

De son côté, Charles a repris sa vie de bohème. Il écume les cabarets parisiens, en quête de sa voie et de sa voix : les années galères commencent…

DEUXIÈME PARTIE

Les années galères

Le duo Roche/Aznavour

En 1941, Charles trouve un engagement de plusieurs semaines au *Jockey*, un des lieux exotiques de Montparnasse. Le contrat achevé, il passe avec succès une audition pour une revue qui s'apprête à partir en tournée en France.

Cette tournée est loin d'être une partie de plaisir. Charles travaille pour un salaire de misère. Mais il accepte tout. Travailleur acharné, il ne veut pas baisser les bras. Dès l'âge de 18 ans, il s'est imposé une discipline rigoureuse à laquelle il ne dérogera jamais : tous les jours, il s'installe à sa table de travail et il écrit.

Charles fréquente beaucoup le *Club de la Chanson*, rue du Cardinal Mercier, près de la place Blanche. C'est là qu'il fait une rencontre qui bouleverse son avenir professionnel…

Très vite, il sympathise avec le président d'honneur du Club, Pierre Roche. Pourtant, a priori, tout oppose les deux hommes. Pierre Roche a des allures de dandy et d'aristocrate : il semble pratiquer l'art de la nonchalance. Charles Aznavour est petit et a l'air teigneux, toujours prêt à en découdre.

Malgré leurs différences, Charles et Pierre s'entendent particulièrement bien. Les deux hommes décident de travailler ensemble. Pierre Roche prend place auprès du piano. Charles Aznavour se tient devant le micro. Leur nom de scène sera tout simplement : *Charles Aznavour et Pierre Roche*.

L'association Roche/Aznavour se révèle particulièrement fructueuse puisque, ensemble, ils composeront plus de 30 chansons, dont : *L'amour a fait de moi, Oublie Lolo* ou *J'aime Paris au mois de mai*.

La première qui connaît la célébrité est *J'ai bu*, composée en 1945. Mais ce sont les auteurs-compositeurs, Aznavour/Roche, qui accèdent à la notoriété. Pas les chanteurs.

La chanson *J'ai bu* a connu un curieux parcours. En effet, ils la proposent à Édith Piaf et Yves Montand, mais ils la refusent. C'est finalement Georges Ulmer qui s'empare de la chanson. C'est un véritable succès.

Dès lors, le tandem Aznavour/Roche intéresse fortement les artistes en peine de chansons.

Vient la période de l'Occupation et les contrats se raréfient. Malgré leurs compositions chantées par d'autres, le tandem connaît des difficultés terribles. Le costume d'Aznavour est tellement râpé qu'il est contraint d'en porter un autre, en synthétique, d'un bleu pétrole à décourager les plus tolérants.

Obstinés, ils tentent de décrocher des contrats au *Théâtre de l'Étoile* et à *l'Excelsior*. Quand, enfin, ils parviennent à cachetonner dans quelques salles, ils n'ont pas l'occasion de se réjouir. Ils sont soumis à des conditions de travail éprouvantes.

Mistinguett, connaissant les talents de parolier de Pierre Roche convoque le duo chez elle. En 1943, sombre période durant laquelle il est de bon ton d'offrir à ses hôtes, à cause des rationnements, moins de fleurs que de victuailles : Roche et Aznavour se débrouillent comme ils peuvent pour acheter au marché noir un très beau gigot. Chargés, ils se rendent chez la Miss qui, à leur grande déception, leur sert des rutabagas cuits à l'eau en leur disant, avec un large sourire : "*Pas de viande le soir*" !

Pourtant, c'est au milieu de toutes ces difficultés, que Charles trouve la force de combattre. Parce qu'il faut tenir. Parce qu'il faut survivre. Parce qu'il n'a pas le choix.

La fin de la guerre sonne la fin de l'austérité. Charles et Pierre profitent de ce redressement et soudain, après des mois de pénurie, ils multiplient les engagements. Partout, sur les murs de Paris, on peut voir des affiches qui présentent le duo.

Au même moment, sous la direction de Jacques Canetti, directeur artistique chez *Polydor*, ils enregistrent leurs premiers disques : huit faces de 78 tours, accompagnés par l'orchestre d'Henry Lecca.

Est-ce enfin le signal de la grande carrière tant attendue ? Hélas, ce n'est qu'un faux départ, car l'allégresse déclenchée par la Libération ne dure pas. Très vite, la France se trouve confrontée à une grave crise économique. Pour Aznavour et Roche, c'est le temps des vaches maigres qui recommence. Les éternels troubadours font leurs bagages et reprennent la route vers d'épuisantes tournées.

Pour Charles, c'est aussi l'époque des jours heureux car il épouse Micheline Rugel. Peu après la cérémonie, le couple regagne son modeste logement, une minuscule chambre, rue de Louvois. Une petite fille prénommée Patricia Seida viendra couronner leur union.

Malgré le manque de contrats, Charles et Pierre essaient de profiter d'un nouveau média en plein essor : la radio. Chaque semaine, ils passent dans l'émission de Pierre Grimblat. Pierre Cour et Francis Blanche profitent d'une de leurs émissions pour inviter Charles Aznavour et Pierre Roche à se produire sur scène. La soirée doit avoir lieu dans la *salle Washington*, rue Washington.

Aznavour sait parfaitement que cette soirée est déterminante. En effet, dans la salle, des personnalités du monde du spectacle sont présentes. On annonce la présence de l'éditeur de musique Raoul Breton mais aussi de Charles Trénet, son modèle, son idole sera présent ce soir-là. À l'idée de chanter devant son héros, Aznavour sent ses jambes se dérober.

Charles attend le grand soir avec un trac inouï. Certes, il séduira son aîné par son talent, mais c'est une autre artiste qui va se passionner pour lui. En 1946, un ouragan s'apprête à souffler sur l'existence de Charles Aznavour. C'est une chanteuse, une star volcanique et déterminée : elle s'appelle Édith Piaf.

Charles et Édith

Ils se rencontrent dans une salle de spectacle où se produisent Charles et son complice, Pierre Roche. Édith trouve le petit Aznavour talentueux, mignon, mais ne peut s'empêcher de lui dire :

– *Ton nez, il est pas bon pour la scène, il faut le changer.*

À son grand dam, la chanteuse n'appréciera pas le résultat et lui balancera un péremptoire :

– *Tu étais mieux avant !*

Pourtant, Charles n'est pas de cet avis :

– *Elle m'a payé mon nouveau pif ! Elle a eu raison, ça m'a changé la vie. Mon nez était lourd à porter. Une fois qu'on me l'a coupé, j'ai pu relever la tête !*

Restait un autre complexe : sa taille. Charles a beau tendre le cou, il ne dépasse pas le mètre soixante-trois.

– *Je m'étais fait faire des "elevating shoes" – des chaussures à plate-forme – dont j'étais très fier. Je me trouvais dans un bar d'hôtel à Casablanca où je devais rencontrer un imprésario. Je croise une jambe, et l'imprésario murmure à mon copain : "Le pauvre ! Il a un pied bot !" Gêné, je décroise la jambe et met l'autre par-dessus, et là, je l'entends dire : "Mon*

Dieu ! Il a deux pieds bots !" Je ne les ai plus jamais portées. Et j'ai décidé que c'était les autres qui étaient trop grands.

Quand on demande à Charles Aznavour comment s'est passée leur première rencontre, il répond :

– *D'une manière qui nous ressemblait : nous étions deux enfants des bals musette qui s'étaient reconnus. Édith retrouvait en moi le genre de personnages qu'elle avait perdus en devenant célèbre. Nous avons parlé d'un milieu dont elle avait un peu de regret. J'avais remarqué la reine et sa cour. Pas de courtisans. Non, c'était une cour "utile" d'auteurs, de compositeurs, d'amoureux d'Édith.*

Édith et Charles deviennent inséparables. Ils partagent beaucoup de choses, notamment l'apprentissage de la vie par la rue, la pauvreté, l'amour des mots, la soif de réussite. D'elle, il apprend l'intensité de la scène et la quête de la perfection.

– *Notre relation était plus que de l'amitié, moins que de l'amour…*

Il lui écrit certaines chansons comme *Plus bleu que tes yeux,* ou encore *Jézébel,* dans cet hôtel particulier au sortir du bois de Boulogne, où elle tient table ouverte mais qu'elle revend, avec ses tristes souvenirs, pour s'installer à Paris, 67 boulevard Lannes.

– *Dans la maison d'Édith, on vivait de musique. Il y avait toujours de jeunes auteurs et des compositeurs qui venaient montrer de nouvelles chansons pour Piaf. Elle ne les acceptait pas toutes, mais elle leur prodiguait toujours des conseils. Le jeune repartait ainsi avec un cadeau utile.*

En 1950, Piaf retourne pour se consacrer à son travail à New York, accompagnée de son nouvel amant, Eddie

Constantine, et celui qui est devenu son chauffeur et son secrétaire : Charles Aznavour.

Bien que Charles est un des rares proches à ne pas avoir été son amant, Édith l'appelle affectueusement : *mon petit con de génie*. Elle le tutoie mais lui ne le fera jamais : *elle était trop grande,* dit-il. La chanteuse le regarde avec les yeux du cœur et, sous son regard, il cesse d'être le petit Arménien raté à la voix éraillée : il devient un artiste.

Charles est le seul à lui résister, il s'en va régulièrement sur le coup de minuit, préférant son sommeil aux courbettes, au risque de déplaire à Édith. C'est, en plus de son immense talent, cette liberté et cette indépendance que Piaf admire.

Un jour, Édith prend un coup de sang et fiche Charles dehors, lui intimant de retourner à quai. Charles prend un billet de retour pour la France et, à l'embarquement, une heure plus tard, elle lui envoie un télégramme lui disant : *Tu me manques déjà !*

– Cela nous est arrivé très souvent avec Édith, car il fallait toujours qu'elle ait raison. Et moi, j'étais un jeune impétueux et un peu imbu de sa jeunesse, alors si je n'étais pas d'accord, je lui disais. Finalement, c'est certainement pour cela qu'elle m'aimait bien.

Dès 1951, Charles devient son homme à tout faire : secrétaire, chauffeur, éclairagiste et confident. Il vivra dans son sillage et, son mariage avec Micheline battant de l'aile, il habitera, sporadiquement, dans la maison d'Édith pendant huit ans !

– J'ai toujours été là dans les moments gais, dans les moments dramatiques. Pas aussi présent que ceux qui vivaient "totalement" avec elle, parce que je travaillais. Mais

dès que je pouvais m'évader, j'allais la retrouver. Elle était très fidèle en amitié, en amour aussi. Ses vraies aventures amoureuses duraient deux ans – ce qui, à l'époque, n'était pas bien vu – mais c'était déjà une fidélité.

Édith impose son nouveau protégé, Eddie Constantine, jeune chanteur et acteur américain, dans l'opérette *La p'tite Lili* que l'auteur, Marcel Achard, monte à *l'ABC* sur une musique de Marguerite Monnot. Le spectacle tient l'affiche sept mois au bout desquels Piaf et Constantine se séparent.

Piaf aide Charles à faire ses preuves sur scène mais jamais elle ne prend sa carrière en main comme pour Montand ou Les Compagnons de la Chanson. Cependant, Aznavour restera un de ses fidèles jusqu'au bout. Il lui prêtera même spontanément de l'argent quand elle sera ruinée.

– Lorsque je l'ai rencontrée, j'avais déjà monté quelques marches – oh ! pas bien élevées –, j'avais eu quelques maîtres qui m'avaient permis d'être au même centimètre qu'elle ! Notamment Jean Cocteau. Si j'ai eu beaucoup plus de difficultés que les autres, j'ai aussi eu plus de chance !

Édith prend très à cœur son rôle de dénicheuse de talents. Jean-Louis Jaubert des Compagnons de la chanson, avec lesquels elle enregistre *Les 3 cloches,* Yves Montand, débarrassé de son accent marseillais et qu'elle impose à ses côtés dans *Étoile sans lumière* (1946), Gilbert Bécaud, Georges Moustaki, Félix Marten dont elle veut faire le "Cary Grant français"...

Exigeante, autoritaire, il vaut mieux filer droit avec elle et le jeune débutant Charles Aznavour en fait souvent les frais.

Aujourd'hui, il confie son admiration et son affection pour elle.

– *Édith a "pygmalionné", dans le bon sens, ses amis et ses amants. Elle leur donnait ce qu'elle-même avait appris dans les mains d'autres, d'amants comme Raymond Asso, ou d'amis comme Cocteau et Marcel Achard.*

Mais à *France soir*, en 1969, il parlait plutôt d'une *tyrannie constante à laquelle nul ne songeait à se soustraire* et définissait ainsi son rôle : *j'étais son grouillot*. Elle lui imposait ce qu'il devait chanter et quand elle choisissait un autre chanteur, elle se justifiait en disant : *il a de belles fesses*.

Charles Aznavour tient aussi à souligner ce que beaucoup ignorent, Piaf était l'auteur des premières chansons qui ont fait Montand. Mais aussi de *La vie en rose* et de *l'Hymne à l'amour*.

– *Elle écrivait très bien. Prenez par exemple le couplet de "La Vie en rose", c'est extraordinaire de concision : en quatre phrases, on sait à qui on a à faire. Elle avait d'une part l'instinct et d'autre part l'amour de la langue française. Il n'y a pas d'élisions dans ses textes et la césure est parfaitement respectée. Tout cela, je l'ai appris d'elle. J'ai su ainsi qu'il fallait faire de même que nos grands auteurs, Hugo, Corneille, La Fontaine, Racine, Molière…*

Édith avait un passé dramatique, mais elle n'était pas triste du tout. Au contraire. C'était une femme gaie, qui aimait rire et les gens qui la faisaient rire. Elle faisait souvent des blagues. Charles se souvient…

– *Après un pot-au-feu dans un restaurant, elle a demandé à la serveuse de lui envelopper l'os. Une fois à la maison –*

j'habitais alors chez elle –, elle a demandé à sa secrétaire de l'envoyer à "Monsieur André Luguet", un acteur avec une allure très britannique, avec un petit mot : "Je t'envoie l'os de mon cul pour te faire un bouillon".

Je me souviens aussi d'un patron de music-hall, venu discuter du prochain contrat avec elle. Elle lui a dit :

– Momone (sa grande copine) va être avec moi sur scène et on va vous montrer quelque chose qui va faire bien.

Et les voilà toutes les deux dansant en levant la jambe et chantant : "*Nous avons levé le pied, nous avons levé le pied !*". Le gars était surpris mais n'osait la contredire, pire, il abondait dans son sens : "*Ce sera très bien*"...

– *Ah ! le couillon, il ne va tout de même pas croire que je vais chanter ça !* s'est écriée Piaf.

Piaf loupera la première de Charles à *l'Olympia*, mais celui-ci lui enverra une lettre pour lui exprimer sa gratitude, et son souhait d'être resté pour elle : *le petit con d'antan.*

Premiers pas en solo

La guerre est finie. Le duo avec Pierre Roche aussi. Pendant leur tournée avec Piaf, le partenaire de Charles a eu le coup de foudre pour une jeune chanteuse. Il décide de l'épouser et de s'installer aux États-Unis. Charles se retrouve seul, mais il est bien décidé à ne pas rester "le grouillot" d'Édith, ni de se cantonner au rôle d'auteur, même si sa plume est très appréciée. Il va donc tenter sa chance seul. Une nouvelle décennie s'annonce avec ses humiliations, ses quolibets et la tentation pour le chanteur, malgré son opiniâtreté proverbiale, de jeter l'éponge.

*
* *

Personne ne veut de lui. On le trouve trop petit, pas beau, il a une drôle de voix : il lui manque une corde vocale. Il encaisse les rejets. Les sublime en écrivant de magnifiques chansons qu'il chante le plus souvent dans des salles vides.

On le traite de *chanteur à bides, d'Aznavourien* et les chansonniers le surnomment : *l'enroué vers l'or* ou *Qu'a le son court*. Mais Charles s'entête :

– Ou j'abandonnais ou je continuais en disant "ce sont tous des cons, je vais leur montrer que j'ai raison". Et j'ai prouvé que j'avais raison !

Pour survivre, Charles hante les cabarets de strip-tease, les bals de banlieue et les entractes des cinémas de quartier.

– Je chantai sans micro, accompagné seulement d'un pianiste. Ah j'en ai entendu des claquements de strapontin, j'en ai vu des spectateurs sortir fumer pendant mon tour de chant pour ne revenir qu'au début du film ! J'en ai reçu des objets sur la scène et de la petite monnaie ! Sans compter les quolibets désobligeants et les sifflements… Il fallait avoir le cœur bien accroché, le besoin de bouffer et une détermination à toute épreuve…

Charles dort très peu et, la nuit, pour oublier ces prestations humiliantes, il écrit pour les autres : Piaf, Gréco, Bécaud… En quelques années, la France est totalement aznavourienne : il n'est pas un tour de chant dans lequel ne se trouve au minimum une chanson écrite par lui. Mais ça ne lui suffit pas…

Au début des années 50, le chanteur est traité de tous les noms d'oiseaux possibles par une certaine critique parisienne qui n'attendait pas ses représentations pour l'assommer de mots blessants et de maximes insensées.

– J'ai eu vingt ans de mauvaises critiques. Par exemple, un journaliste a dit dans une émission : "Maintenant, on laisse chanter des handicapés." Eh oui, il parlait de moi, j'étais un handicapé de la chanson… Pour eux j'étais laid, j'avais une mauvaise voix et ce que je racontais ne voulait rien dire.

Après une soirée qui se termine, une fois de plus par un "bide", Aznavour écrit, avec toute sa lucidité :

– *Quels sont mes handicaps ? Ma voix, ma taille, mes gestes, mon manque de culture et d'instruction, ma franchise, mon manque de personnalité. Ma voix, impossible de la changer. Les professeurs que j'ai consultés sont catégoriques : ils m'ont déconseillé de chanter. Je chanterai pourtant quitte à m'en déchirer la glotte. D'une petite dixième, je peux obtenir une étendue de près de trois octaves. Je peux avoir les possibilités d'un chanteur classique, malgré le brouillard qui voile mon timbre [...]*

Pourtant, malgré sa niaque, Charles est bien tenté de jeter l'éponge. Il se confie à son éditeur, Raoul Breton, qui croit en son talent. Celui-ci lui remonte les bretelles et le moral.

En 1951, alors qu'il est encore le secrétaire d'Édith Piaf, l'apprenti chanteur propose à une autre débutante, Juliette Gréco, d'interpréter : *Je hais les dimanches*, qu'il avait proposé à la Môme mais qu'elle avait refusé.

Juliette accepte et présente ce titre au *Concours de la chanson française de Deauville*. Le jury lui décerne – ironie du sort ! – *Le prix Édith Piaf de la meilleure chanson de l'année !*

En guise de récompense, le parolier doit choisir entre une médaille en or et 75 000 F. Charles Aznavour qui, à l'époque, tire le diable par la queue, préfère l'argent. Cinquante ans plus tard, il confie :

– *À l'époque, j'ai choisi les 75 000 F. Aujourd'hui, je donnerais bien davantage pour avoir la médaille.*

Mais Raoul Breton n'a pas dit son dernier mot... Ce Berrichon têtu – qui a découvert Charles Trenet – croit, dur comme fer, en la réussite de Charles. Il arrive même, à force d'insistance, à faire engager son poulain chez *Ducretet-Thomson*.

Le contrat est loin d'être juteux, mais les deux premiers disques de Charles : *Viens pleurer au creux de mon épaule*, suivi des *Deux guitares* obtiennent un joli succès auprès du public, même si les radios le boudent et passent très rarement ses chansons sur les ondes.

Sur scène, ce n'est pas mieux, Charles se heurte à des regards dédaigneux : son physique et sa voix embrumée, sont jugés ingrats. Mais peu lui importe que la presse le descende en flamme, le public, lui, est enthousiaste, si bien que, qualifié jadis d'être marginal, les journalistes l'accusent à présent d'être commercial.

Cet acharnement et un goût prononcé pour le travail lui inspirent la devise suivante : *Rien ne peut vaincre 17 heures de travail par jour !*

Charles peaufine son look, avec ce nouveau nez imposé par Piaf, prend des leçons de chant et trouve son style. Le succès arrive, et il n'y a pas de meilleure thérapie contre les complexes.

Celui qui ne correspond pas aux canons de l'époque a pourtant raison de persévérer. Il part pour une tournée dans les pays du Moyen-Orient et, pour la première fois, il est acclamé pour sa prestation.

Au *Casino de Marrakech*, le directeur du *Moulin Rouge* assiste à son récital et est séduit par l'enthousiasme du chanteur. Il l'engage comme vedette de son cabaret pendant deux semaines.

Bruno Coquatrix le remarque alors et le programme à *l'Olympia* en vedette anglaise. Pour sa première dans la salle mythique, Charles Aznavour écrit : *Sur ma vie,* qui devient son véritable premier succès populaire.

De fil en aiguille, les contrats se succèdent et après un autre passage de trois mois à *l'Olympia,* sa carrière prend définitivement son envol à *l'Alhambra* où il fera salle comble pendant trois semaines.

Lors de la générale du 12 décembre 1960, après 7 chansons interprétées devant un public froid, l'artiste sort son ultime atout : *Je m'voyais déjà,* qui raconte l'histoire d'un artiste raté.

À la fin de sa prestation, des projecteurs sont braqués sur le public. Aucun applaudissement. En coulisses, Aznavour est prêt à abandonner le métier. Retournant saluer une dernière fois, il entend soudainement les sièges claquer, voit les gens se lever et la salle de *l'Alhambra* croule alors sous un tonnerre d'applaudissements. C'est un véritable triomphe. Il a 36 ans.

D'autres succès vont suivre : *Tu t'laisses aller, Il faut savoir, Trousse-Chemise, Les Comédiens, For me formidable, Et pourtant*… mais Charles n'est pas satisfait. La presse britannique continue de le surnommer : *Aznovoice.* Lui veut être numéro un partout, à Rio, à New York, à Moscou.

Au début des années 60 ses ambitions se concrétiseront par une tournée mondiale où, partout il sera acclamé. Le temps de la consécration est venu…

TROISIÈME PARTIE

La consécration

La "signature" de Charles Aznavour

Le tour du monde de Charles Aznavour va durer plusieurs années: Turquie, Liban, Grèce, Afrique noire, URSS... Conformément à ses vœux, il devient une star internationale et vend des millions d'exemplaires de ses disques et albums. Parallèlement, le crooner va tourner dans de nombreux films, tant pour le grand que le petit écran, écrire des chansons (plus de 1000), des livres et multiplier les triomphes.

Les "Aznavouriophiles" trouveront, dans le dernier chapitre de ce livre, intitulé: *Annexes*, les dates-clés de sa biographie, mais aussi une filmographie, une discographie et une bibliographie complètes et datées.

Ce qui me paraît essentiel dans ce chapitre, c'est de dénouer les fils de cette réussite unique et exceptionnelle, à commencer par ce qu'il est convenu d'appeler: la "signature" de Charles Aznavour.

*

*   *

Les amateurs de série US le savent bien, ont reconnaît les serial killers à leur "signature", cela semble aussi être le cas pour les serial chanteurs et Charles Aznavour n'a pas failli à la règle...

Au début des années 60, pour ses tours de chant, Charles met au point une technique "à l'américaine" : c'est en chantant sa première chanson (souvent *Je m'voyais déjà*) qu'il finit de s'habiller. Il noue sa cravate, il enfile sa veste. Charles a trouvé sa "signature" et le public adore.

Mais, avant d'avoir imposé son style, le chanteur qui n'aime pas la monotonie, donnait, avant chaque concert des instructions à ses musiciens pour changer le rythme, le tempo et le style de ses chansons.

– J'y prenais énormément de plaisir, le public aussi. J'avais l'impression que l'on venait d'ouvrir une classe pour la chanson au conservatoire et que, chaque soir, je devais me livrer à de nouveaux exercices. Je crois n'avoir jamais connu autant d'émotion et de joie pendant un récital.

Avant de trouver un style bien à lui, Charles s'amusait aussi à imiter l'entrée en scène de ses artistes préférés. Il nous en donne quelques exemples, avec sa verve habituelle et son sens aigu de l'observation.

Édith Piaf, faisait mine d'arriver dans un lieu qu'elle ne connaissait pas. Elle paraissait comme surprise d'y rencontrer le public.

Fernandel, lui se présentait avec les bras un peu ouverts en avant de son corps, comme pour forcer les poules à rentrer dans le poulailler, avec l'air de celui qui va vous en raconter une bien bonne.

Maurice Chevalier, calmement, marchait droit vers le fond du plateau, son célèbre canotier collé le long de sa cuisse droite. Arrivé au centre, il bifurquait vers le public, se plantait à l'avant de la scène, posait son canotier penché sur sa tête et gratifiait la salle de son extraordinaire sourire.

Yves Montand surgissait, en faisant semblant de terminer une conversation avec quelqu'un en coulisses. Bien sûr, une grande partie des spectateurs s'imaginait que c'était à Simone Signoret qu'il s'adressait.

Charles Trenet venait à l'avant-scène en triturant son chapeau d'une main. Une fois au centre, face au public, il écarquillait les yeux, sautillait sur ses talons, sans relever la pointe des pieds et, pendant l'introduction de sa chanson, plaçait son chapeau bien en arrière de son crâne.

Georges Ulmer semblait glisser sur le sol, sans heurt, souple, avec une manière indéfinissable, indescriptible, que Charles, admiratif, qualifie de classe innée.

– *Chez moi, l'entrée en scène s'est imposée d'elle-même et je n'ai pas cherché à en changer. Je découvre mon public avec une sorte de timidité. Je vais au-devant de lui, à l'avant-scène, j'accepte ses applaudissements, je fais un signe à mon chef d'orchestre, puis je me retourne comme pour contrôler que tout est bien en place. Alors seulement, je commence mon tour de chant.*

Et Charles Aznavour de conclure :

– *Même si je ne ressemble à personne, je suis le résultat de tout ce qui m'a précédé, imprimant en moi une expérience et un savoir-faire dus à une mémoire oubliée.*

La folie des grandeurs

Quand les trompettes de la renommée ont enfin retenti, certains ont reproché à Charles Aznavour son luxe ostentatoire : ses Rolls, ses bateaux, ses maisons et ses comptes en Suisse (mais ça nous en reparlerons plus avant). Mais loin de se culpabiliser ou de vouloir justifier sa folie des grandeurs, Charles préfère ne retenir de sa période bling-bling, que quelques anecdotes savoureuses qu'il conte dans *À voix basse* et *D'une porte à l'autre,* les deux volets (en attendant le troisième) de son autobiographie.

*

* *

"Bien sûr, à l'heure où mon nom grossissait au firmament des affiches, sur les colonnes Morris, j'ai fait une poussée d'adrénaline. J'ai soudain voulu posséder tout ce dont j'avais été frustré pendant mon enfance.

J'ai ainsi acquis mon premier bateau au Pilat, près d'Arcachon. Ça n'était pas un extraordinaire navire de croisière, non, une simple pinasse, construction de la région. Mais j'en étais déjà fier comme un coq.

J'avais un petit appartement à Saint-Tropez, alors un camion transporta l'esquif de mes rêves jusqu'au port mythique de l'époque, et je passai mon permis de naviguer dans la foulée. Vogue la galère !

Mais (car il existe un mais, et il est commun je crois à tous les navigateurs débutants), l'objet de mon désir avait un défaut de taille : il n'était pas assez imposant. Je le cédai donc à un estivant du coin pour me payer un bateau plus approprié à mon statut de vendeur de disques : d'occasion, trente ans d'âge, construction hollandaise de marque Dewies. Après avoir déboursé pas mal de mes cachets de galas pour le rendre plus attrayant, je me rendis compte, hélas, qu'il était trop grand pour être conduit par moi seul.

À son tour il trouva donc un acheteur, et je me plongeai, pour ma part, dans les magazines spécialisés en objets navigables. Je jetai finalement mon dévolu sur une embarcation plus modeste : quarante-deux pieds, de nationalité suédoise, que je me fis livrer d'urgence.

J'accrochai mon trésor à un anneau du charmant petit port de La Napoule et, fier de mon acquisition, invitai Levon Sayan et mes musiciens, qui logeaient dans un hôtel face à la mer, à m'y rejoindre dès le lendemain matin. Aux premières lueurs de l'aube, j'étais déjà à bord, vérifiant le moindre détail et m'assurant que tout se passerait à merveille.

Levon se trouvait à mes côtés – un commandant a toujours besoin d'un moussaillon –, et au loin, sur l'un des balcons de l'hôtel, je pouvais voir mes musiciens faire dans ma direction des gestes nerveux.

C'est alors que je sentis une odeur de brûlé. Le navire n'était pas en bois, mais en plastique. Quand je vis des flammes s'échapper des cabines, mon merveilleux jouet s'était déjà mis à fondre. Il diminuait à vue d'œil, sous les flashs des vacanciers curieux. Je n'avais même pas accès aux extincteurs, qui étaient dans les cabines !

Pas franchement séduits par le sort de Jeanne d'Arc, Levon et moi attrapâmes les mains secourables qui se proposèrent de nous ramener au port. Et je vis mon beau bateau sombrer corps et biens, comme dit la chanson.

En moins d'une heure, j'avais perdu mon Titanic."

Et Charles de conclure :

Finalement j'ai des goûts simples : la cuisine, les amis, rien de bien original. Je ne suis ni un érudit ni un intellectuel, je suis plutôt un laborieux, et, ce que l'on ne m'a pas appris, j'ai tenté de le faire tout seul.

C'est ma très forte curiosité qui a fait de moi ce que je suis devenu, sans compter ma formidable force de travail. Ne nous trompons pas sur les mots, je n'ai jamais été arriviste, mais ambitieux ; je n'ai jamais été prétentieux, mais fier, le plus souvent ouvert aux autres ; j'ai toujours caché mes angoisses et mes doutes, les questions, je me les suis posées à moi-même.

Je sais où je suis, d'où je viens et malheureusement où je vais. Je connais la fragilité du succès et de nos carrières. Croyez-moi, j'ai vu dans ma vie plus de stars perdre pied que d'immeubles s'écrouler.

Le complexe de l'autodidacte

La consécration donne de l'assurance mais elle impose aussi des rencontres, des contacts, voire même des discours. Or si Charles a surmonté les humiliations de ses débuts et su faire de ses "handicaps" sa marque de fabrique, maintenant qu'il est entré dans la lumière, il lui reste encore un complexe de taille : la Culture, avec un grand C. Certes, il revendique son statut d'autodidacte, allant même, par autodérision, se qualifier "d'illettré" mais, dans près d'un tiers de son autobiographie, transpire le regret de n'avoir pu poursuivre ses études : "faire ses humanités", comme on disait… de son temps.

*

* *

– L'école a représenté dans ma vie un temps si bref que je ne peux en oublier le premier jour. J'étais encore enfant, et pourtant j'y voyais déjà le porche des possibles, sous lequel s'étendaient ces portes minuscules et essentielles, joliment nommées "livres", que l'on ouvrait sur un monde de connaissance. (...) Quand la porte de l'école se referma sur moi, je décidai de ne pas m'arrêter en chemin. Personne ne pouvait

m'apprendre ? Je formerais mon goût seul, au hasard des lectures et des découvertes.

Et Charles n'a pas ménagé sa peine, les livres sont devenus ses amis, particulièrement ceux des grands auteurs classiques. Il n'est pas, aujourd'hui encore, de jour – ou plutôt de nuits car il dort fort peu – où il ne lit quelques pages de La Fontaine, d'Hugo, de Balzac ou de Céline. C'est avec eux qu'il a revisité en chansons, sa comédie humaine. C'est avec eux qu'il entrera dans la légende des siècles.

Cette soif de savoir n'a jamais mis sous le boisseau ses doutes et ses complexes. Charles exprime ces lacunes avec des mots simples et généreux. Des mots qui iront droit au cœur de tous ceux qui, comme lui, n'ont pas eu la chance de venir au monde avec une cuillère d'argent dans la bouche. Un message d'espoir aussi pour donner l'envie à tous les émigrés, les apatrides, les obscurs, les sans-grade, de s'approprier la langue de chez nous, non dans le but de paraître ou de se faire valoir mais, simplement d'être et de se faire entendre.

– Toute ma vie, j'ai été habité de doutes que j'ai dissimulés derrière mes sourires, pensant qu'il ne fallait pas laisser trop entrevoir mes faiblesses.

Par peur de dire des âneries, j'ai pris l'habitude de me taire, d'écouter et de m'instruire. Déjà que je ne comprenais pas parfaitement ce que j'entendais, si en plus j'avais ouvert la bouche pour débiter des lieux communs et des bêtises, je ne saurais toujours pas grand-chose aujourd'hui ! Je ne prétends pas être devenu un encyclopédiste avec le temps, ni même un fin lettré, mais disons que mes connaissances tiennent à peu près la route…

Charles Aznavour nous fait aussi partager dans *À voix basse*, comment il a vécu ses premiers pas dans les hautes sphères du savoir.

"La première fois que j'ai franchi la porte d'une université, j'avais déjà atteint l'âge du recteur en instance de retraite.

Non contents de me vêtir d'une longue robe noire, mes hôtes m'avaient coiffé du chapeau carré et de son ineffable petit pompon qui dansait gaiement à chacun de mes gestes, au point que je devais le chasser comme une mèche rebelle.

Après avoir écouté un discours élogieux, mon pompon virevoltant et moi-même, nous nous vîmes remettre un diplôme entouré de ruban rouge. Ça y est, j'étais devenu : *docteur honoris causa*. Quel programme !

Je guettai les transformations immédiates qui ne manqueraient pas de se faire dans mon corps après cette distinction. Mais non, j'eus beau attendre, rien ne vint : cet honneur, tout appréciable qu'il fût, non seulement il ne me fit pas grandir d'un centimètre mais, pire, il ne me remplit pas la tête des codes sociaux et des connaissances policées, propres à mon nouveau statut.

Mince, alors ! Je n'avais plus que deux solutions pour compenser le manque : arborer un maintien docte ou bien rester sobre et me conduire honorablement, face aux personnalités érudites qui m'entouraient.

Je choisis la seconde solution, en espérant très fort que mes petits camarades docteurs ne m'inviteraient pas à faire un discours. Devant cette assemblée de cerveaux, c'eût été la honte. Je n'aurais pas pu m'en sortir en leur chantant : *Je m'voyais déjà.* Avec le pompon tournoyant, ça aurait fait désordre.

Heureusement on ne me demanda rien, et j'eus le loisir de méditer tranquillement sur l'ironie du sort et les retournements du destin.

Savez-vous que je n'ai jamais été renvoyé d'un établissement scolaire ? La raison en est simple : passé mes dix ans et demi, je n'en ai plus fréquenté aucun, pauvreté oblige.

Dommage, étudier dans un lycée prestigieux puis à l'université m'aurait permis d'acquérir un bagage intellectuel plus riche et plus fleuri. Mais je n'ai pas de regrets. Quand je regarde ce qu'a été ma vie entre mon certificat d'études et mon diplôme universitaire, je me dis : *Mon petit Charles, tu n'as rien perdu au change !* (...)

J'ai visité des centaines de pays, rencontré des empereurs, des rois, des reines, des présidents. J'ai été reçu à la Maison-Blanche, au Kremlin, et j'en passe. (...) J'allais, les yeux ouverts et le cœur battant, ne sachant pas toujours bien comment me comporter ni où mettre mes mains.

J'ai côtoyé grâce à mon métier des gens bien supérieurs à ma condition, des génies, des intellectuels, des artistes de tous bords, des politiques de toutes les couleurs, des religieux de toutes les religions.

Quand on fait des études poussées, c'est dans l'espoir qu'elles débouchent sur du solide, du concret, de l'exaltant, pas simplement pour accrocher un diplôme au-dessus de la cheminée de ses parents, non ? Moi, je n'ai pas eu le diplôme, pour le reste, j'ai été plutôt bien servi."

Si Charles Aznavour n'a pas eu la chance de recevoir de la main d'un de ses professeurs l'indispensable liste de livres qu'il est de bon ton d'avoir lus pour se forger une culture, c'est Jean Cocteau qui lui délivrera ce précieux viatique. Cette liste de Cocteau réjouira et enrichira tous ceux qui, comme Charles Aznavour, sont des autodidactes en quête de hauteur.

"À l'époque, j'avais le privilège d'être invité régulièrement dans la très belle *villa Santo Sospir*, propriété de la célèbre mécène Francine Weisweiller, à Saint-Jean-Cap-Ferrat. Or, il se trouve que Mme Weisweiller hébergeait l'homme de lettres, pour qui elle nourrissait une admiration sans faille.

Mes escapades en sa demeure m'offrirent l'occasion d'écouter le formidable conteur qu'était Cocteau, mais aussi de mettre ma timidité de côté en lui demandant quelques orientations littéraires. En jeune inculte, je voulais savoir quoi lire pour m'instruire un peu.

Il me répondit de très bonne grâce, n'hésitant pas à me rédiger une liste que je ne peux, bien sûr, résister au plaisir de vous livrer.

Adolphe, de Benjamin Constant.

Impressions d'Afrique, de Raymond Roussel.

Guerre et paix, de Léon Tolstoï.

La Saga de Gösta Berling, de Selma Lagerlöf.

Pan, de Knut Hamsun.

Pelléas et Mélisande, de Maurice Maeterlinck.

Le Rouge et le Noir, de Stendhal.

Manon Lescaut, de l'abbé Prévost.

Le Chevalier de Maison-Rouge, d'Alexandre Dumas.

Splendeurs et misères des courtisanes, d'Honoré de Balzac.

Le Diable au corps, de Raymond Radiguet.

La Ballade de la geôle de Reading, d'Oscar Wilde.

L'Idiot, de Dostoïevski.

La Montagne magique, de Thomas Mann.

Le Nègre du Narcisse, de Joseph Conrad.

Les Hauts de Hurlevent, d'Emily Brontë.

Les Nouvelles fantastiques, d'Edgar Poë.

Croc-Blanc, de Jack London.

La Princesse de Clèves, de Madame de Lafayette.

Je m'empressai bien sûr de tout lire, de la première à la dernière ligne, et tirer de l'heureuse expérience un précepte très simple : *si tu ne sais pas, demande.*

L'humilité et l'esprit curieux, loin d'être des tares, flatteront ton interlocuteur. Il se fera un plaisir de te renseigner ; et toi tu apprendras à moindres frais.

La liste de Jean Cocteau est révélatrice de ces chemins de traverse qui ont guidé mon instruction. Je ne suis toujours pas érudit, c'est vrai, mais les livres qui composent ma bibliothèque, je peux affirmer avec fierté que je les ai lus. (...) .

Je ne prétends pas avoir retenu tout ce qui m'est tombé sous les yeux par le passé, mais de chaque livre il me reste un petit quelque chose : ce petit quelque chose de rien du tout qui, ajouté à la multitude des autres, m'a permis de devenir non pas un homme de culture, mais un homme de plume. N'ayant aucun talent pictural, je me console en peignant des textes de chansons.

Les critiques ont analysé mon travail de chanteur, j'aimerais aujourd'hui que l'on prête attention à celui de l'auteur.

Les journalistes m'ont toujours, plus ou moins, posé les mêmes questions, et moi j'ai toujours répondu, autant par automatisme que par courtoisie. Mais entre nous, j'attendais parfois autre chose de nos entretiens que ce sentiment de frustration qui nous assaille lorsque l'on prend conscience que notre interlocuteur, s'il nous a entendus, ne nous a pas écoutés.

Quand comprendront-ils que les textes m'importent par-dessus tout, plus encore que la musique ? Ce sont eux qui me donnent le sentiment d'être utile, de construire quelque chose, d'élaborer une œuvre qui en vaut la peine.

Extraits du livre de Charles Aznavour
"D'une porte à l'autre", éditions : Don Quichotte.

Dans des lieux insolites j'ai chanté…

"Comment créer l'événement après avoir chanté dans tous les coins du monde, de Broadway à Londres, en passant par Tokyo et Moscou. Il faut dire que, le long de ma carrière, j'ai eu mon compte de concerts insolites."

Charles en dresse pour nous la liste, écho impressionniste à la fameuse liste de Cocteau.

*

* *

Dans les mairies : j'ai retrouvé un jour une photo qui en témoigne. Je devais avoir quatorze ans, j'étais en costume de scène, un accordéoniste de mon âge m'accompagnait.

Dans la bibliothèque de New York : ce qui me fit dire à l'époque, que, pour la première fois, je travaillais dans une bibliothèque.

Sur une barge : c'était dans le Midi de la France. Le public observait depuis la côte et moi je me produisais en pleine mer.

Sur les places publiques : Ainsi j'ai donné un concert au Mexique pour un auditoire qui n'avait pas les moyens de se payer des places. On appelait ce genre de prestation : *gala por el pueblo*.

Piazzetta San Marco, à Venise : avec toute ma petite troupe de techniciens et de musiciens.

Dans les stades : au Kremlin, pas celui de Bicêtre, l'autre, de Moscou.

Mais ce qui a le plus impressionné Charles Aznavour, c'est sa prestation **sur le toit du Duomo, à Milan**.

C'est une des plus belles cathédrales au monde. Plus céleste, cela ne doit pas être facile à trouver. Pour l'occasion, un van est venu nous cueillir à nos hôtels respectifs, et en avant pour le lieu saint ! À l'entrée des artistes, je dirais plutôt : l'entrée des ecclésiastiques, nous avons trouvé un service d'ordre impressionnant, carabiniers et policiers en pagaille. À croire que Corpus Deus était en danger. Ajoutez à cela les camions de la Rai (la télévision italienne) et les gardes du corps du chef de l'État, Silvio Berlusconi lui-même. Ajoutez encore la foule des badauds et des photographes, et vous aurez une idée du spectacle.

J'ai jeté, ou plutôt levé un œil pour juger de la hauteur du bâtiment, soixante mètres de dentelle de pierre et de statues et j'ai gentiment commencé à me sentir mal.

Au 16e siècle, date d'achèvement de la construction de l'édifice, je crois savoir que les ascenseurs n'étaient pas de mode et, personnellement, la montée des escaliers m'est devenue un exercice quasi impossible. Je ne pouvais m'empêcher de songer qu'après s'être coltiné les innombrables marches, un quidam pris de vertige serait facilement redescendu la tête la première sur le plancher des vaches.

Dieu merci, si j'ose dire, on avait installé un petit monte-charge métallique, le petit monte-charge du bon Dieu, pas très rassurant, rouillé, brinquebalant... Enfin, je suis tout de même arrivé là-haut, sur le toit du Duomo, j'entends près, très près du Tout-Puissant, mais pas encore à côté.

Je me suis dit, à quatre-vingt-six ans, vu le temps qu'il me reste à vivre, peut-être le Très-Haut s'est-il arrangé pour me faire monter vers lui afin de voir à quoi je pouvais bien ressembler.

Dieu était déjà à son céleste balcon, le public aussi. Et pas n'importe quel public ! Vu le prix des places, vu le thème du gala – au profit de la réhabilitation de la cathédrale –, il y avait là, assis démocratiquement sur des blocs de pierre bien inconfortables, le haut du pavé smokinguisé et robe-du-soirisé. Salut la prostate des plus âgés et les fesses des belles dames !

Je pouvais voir mon ami Silvio au premier rang. Il était en pleine forme. Sous les étoiles et la lune, en plus des éclairages, j'ai fait mon entrée et mon tour de chant moitié en français, moitié en langue du cru, s'il vous plaît.

Une chose est sûre, les fesses sur la pierre dure ont obligé les spectateurs, en bons croyants, à faire pénitence, peut-être même pour la première et dernière fois de leur vie. Cela, ils ne l'oublieront pas de sitôt.

QUATRIÈME PARTIE

Racines et jalons

Ses racines :
J'ai deux amours, l'Arménie et Paris…

Être fier d'être français ne m'empêche pas d'arborer avec panache mes racines. J'ai eu la chance d'être statufié de mon vivant, à Gumri, en Arménie. En France, à Valence, on a donné mon nom à une place: n'est-ce pas une manière de représenter à égalité mes deux patries ?

*

*   *

Quand on lui pose la question de son appartenance, Charles répond invariablement :

– Je me sens 100 % Français et 100 % Arménien. C'est comme le café au lait. Une fois qu'on a mélangé le lait et le café, on ne peut plus les diviser.

Si Paris, sa ville de naissance et de cœur, Charles l'a encensé dans nombre de ses chansons et écrits, son engagement pour l'Arménie, bien que plus récent, ne date pas d'hier. L'artiste n'a pas attendu que la question du génocide arménien soit invoquée, voire parfois instrumentalisée, depuis le début des années 2000, par tous ceux qui ne veulent pas de la Turquie dans l'Union Européenne.

Le tournant pour lui date de 1975. Crooner à succès, auteur et star internationale, Aznavour n'a plus grand-chose à prouver. Sauf à lui-même. Ce qu'il va faire avec une chanson au titre sans détour : *Ils sont tombés,* dans laquelle il dénonce l'horreur du génocide de 1915 et ses centaines de milliers de morts arméniens

– *Cette chanson signe le début de son engagement,* raconte l'éditorialiste et militant d'origine arménienne Jean-Marc Ara Toranian. *J'avais alors une vingtaine d'années et je me souviens combien cela m'avait fait plaisir. Enfin quelqu'un pour nous représenter ! Même si c'était un peu pathétique que nous n'ayons que cette branche à laquelle nous raccrocher.*

Cette année 1975 marque aussi le premier d'une longue série de quelque 80 attentats de l'Armée secrète de libération de l'Arménie (Asala) qui totaliseront 50 morts, jusqu'en 1984.

Basé au Liban, ce groupuscule, tendance marxiste-léniniste, est surtout composé d'Arméniens de la diaspora. Son objectif : pousser l'État turc à reconnaître le génocide de 1915 et réunifier la nation arménienne sur les terres ancestrales. Ses cibles : les représentants de l'État turc partout dans le monde.

– *Les premiers attentats de l'Asala ont partagé chaque Arménien entre le choc, la gêne d'être assimilé à des actes terroristes et le constat de leur efficacité médiatique. Enfin on parlait des Arméniens dans les journaux ! Même, on ne parlait du génocide que lorsqu'il y avait un attentat de l'Asala, se souvient le philosophe d'origine arménienne Michel Marian.*

En 1981, c'est l'Opération *Van,* une prise d'otages à l'Ambassade de Turquie à Paris. Les quatre auteurs de la prise d'otages sont arrêtés. Jugés une première fois, puis deux ans plus tard en appel. L'opinion publique est alors sous le coup d'un autre attentat, un carnage, toujours signé par l'Asala, à l'aéroport d'Orly.

– *Après Orly, les Arméniens rasaient les murs. Mais Aznavour ne s'est pas laissé démonter. Il a tout de même soutenu les quatre preneurs d'otages de 1981. Il a envoyé un témoignage en leur faveur, sa lettre a été lue lors du procès en appel, rappelle Ara Toranian. C'était courageux de sa part, car il avait beaucoup à perdre. Sous l'émotion des morts d'Orly, l'opinion et peut-être même son public, auraient pu se retourner contre lui.*

À l'époque déjà, le chanteur avait confié à l'un de ses admirateurs, un Français d'origine turque, l'écrivain et artiste Georges Daniel, qu'il *rêvait d'être l'homme qui réconcilierait la Turquie et l'Arménie.*

Aznavour a prôné le dialogue à un moment où cela n'était pas très bien vu par la diaspora arménienne, dont les militants les plus extrémistes ont parfois été agacés par la "sympathie" dont le chanteur pouvait faire preuve à l'égard des Turcs. À Istanbul, on peut d'ailleurs toujours visiter un passage qui porte le nom Aznavour, au centre de la ville européenne et trouver les vinyls de *La Mamma,* en vente dans les brocantes.

En 2007, comme de très nombreux Arméniens de la diaspora, Aznavour est sous le choc de l'assassinat par un nationaliste turc du journaliste turc d'origine arménienne, Hrant Dink, un fervent partisan du dialogue turco-arménien.

– *Le peuple turc se pose des questions, constate Charles Aznavour. Certains découvrent à la mort d'une grand-mère leurs origines arméniennes. C'est une affaire d'identité natio-*

nale (...) cela prendra des générations pour sortir de tout cela, mais j'ai de l'espoir.

Artiste engagé, Aznavour l'est assurément. Mais avec sa petite musique à lui. Les concepts et le langage politiques : ça n'est pas son registre. Celui des émotions conviennent mieux à l'acteur qui campe Edouard Saroyan, cinéaste, porte-parole de la diaspora arménienne dans *Ararat* d'Atom Egoyan.

La bataille d'Aznavour reste "culturelle", comme lorsqu'il chante avec sa fille Seda en arménien, pour rappeler combien cette langue est indissociable de l'histoire de son peuple ; ou bien encore lorsqu'il écrit une dédicace pour *Rêves fragiles*, l'ouvrage du photographe Antoine Agoudjian.

En 1988, l'Arménie est toujours sous tutelle soviétique. Un puissant séisme secoue le pays, au moins 25 000 personnes y périssent. Aznavour écrit et compose illico une chanson intitulée : *Pour toi l'Arménie*. Puis mobilise 89 artistes français de ses amis autour du micro. Cela donne un disque dont les bénéfices sont destinés à la Fondation qu'il a créée, avec son imprésario également arménien, pour venir en aide aux rescapés du séisme.

L'Arménie indépendante, Aznavour est proclamé "héros national". Une place d'Erevan et une statue lui sont dédiées en 2001.

En 2004, pour ses 80 ans, Aznavour est nommé "héros national" de l'Arménie par le président de l'époque, Robert Kotcharian.

En décembre 2008, le chef de l'État arménien, Serge Sarkissian, lui confère la citoyenneté arménienne.

Le 6 mai 2009, Charles Aznavour est nommé, Ambassadeur d'Arménie en Suisse auprès des Nations Unies. Un nouveau costume qui semble parfois un peu étroit pour l'artiste, tant ses interventions sont limitées et contrôlées par les autorités arméniennes. En particulier, quand le gouvernement arménien a suspendu le processus de ratification des accords de normalisation avec la Turquie. Au risque que le crooner y perde ce qui a fait sa force : une rare liberté de mouvements et de paroles entre Paris, Istanbul et Erevan.

Le 7 juillet 2013 L'Arménie a dévoilé une étoile, posée à Erevan, en l'honneur du chanteur français d'origine arménienne Charles Aznavour, lors d'une cérémonie officielle.

Ils sont tombés...

Ils sont tombés sans trop savoir pourquoi
Hommes, femmes et enfants qui ne voulaient que vivre
Avec des gestes lourds comme des hommes ivres
Mutilés, massacrés les yeux ouverts d'effroi.
Ils sont tombés en invoquant leur Dieu
Au seuil de leur église ou le pas de leur porte
En troupeaux de désert titubant en cohorte
Terrassés par la soif, la faim, le fer, le feu.

Nul n'éleva la voix dans un monde euphorique
Tandis que croupissait un peuple dans son sang
L'Europe découvrait le jazz et sa musique
Les plaintes de trompettes couvraient les cris d'enfants.
Ils sont tombés pudiquement sans bruit
Par milliers, par millions, sans que le monde bouge
Devenant un instant minuscules fleurs rouges
Recouverts par un vent de sable et puis d'oubli.

Ils sont tombés les yeux pleins de soleil
Comme un oiseau qu'en vol une balle fracasse
Pour mourir n'importe où et sans laisser de traces
Ignorés, oubliés dans leur dernier sommeil.
Ils sont tombés en croyant ingénus
Que leurs enfants pourraient continuer leur enfance
Qu'un jour ils fouleraient des terres d'espérance
Dans des pays ouverts d'hommes aux mains tendues.

Moi je suis de ce peuple qui dort sans sépulture
Qu'a choisi de mourir sans abdiquer sa foi
Qui n'a jamais baissé la tête sous l'injure
Qui survit malgré tout et qui ne se plaint pas.
Ils sont tombés pour entrer dans la nuit
Éternelle des temps au bout de leur courage
La mort les a frappés sans demander leur âge
Puisqu'ils étaient fautifs d'être enfants d´Arménie.

Texte et musique de Charles Aznavour

Ses jalons : sa femme, ses enfants

Lorsque j'étais enfant, la famille Aznavourian n'était composée que de quatre êtres vivants, pour ne pas dire survivants. Aujourd'hui, entre les enfants, leurs conjoints et les petits-enfants, le destin de notre clan fait un joli pied de nez au malheur…

*

* *

Charles Aznavour a eu trois épouses et six enfants mais, avant d'évoquer sa descendance, il faut parler de sa dernière compagne : Ulla, qui illumine sa vie depuis 47 ans. Dans trois ans, ils fêteront leurs noces d'or : un exploit dans le monde éphémère du showbiz.

– *J'ai été marié trois fois. La première, j'étais trop jeune. La deuxième, j'étais trop bête. Le troisième fois, j'ai épousé une femme qui vient d'une culture différente, plus stricte. J'ai appris des choses, la tolérance, notamment. Je ne dirais pas qu'elle m'a changé, car c'est difficile de me changer. Mais elle m'a régulé, m'a mis sur un bon rail.*

Pour Charles, la clef de leur bonheur c'est qu'ils se sont tenus à l'écart des flashs, ne faisant la une des journaux que lorsqu'il monte sur scène et que c'est amplement suffisant. C'était le désir d'Ulla, au départ, de vivre une vie familiale, simple et retranchée des mondanités. Et Charles entend que ce désir soit respecté.

– *Si je n'ai jamais changé de ligne dans une carrière, l'homme que j'étais, lui, un beau jour, s'est transformé, fini les folies. J'ai rencontré Ulla, elle a comblé toutes mes failles, tous mes souhaits. Elle est devenue ma femme pour toujours. Une évidence.*

Au début, j'arrivais avec des paquets, des bijoux. Elle se moquait de moi. C'était autre chose qu'elle voulait. Ça fait pas mal de temps que je rentre à la maison les mains vides. J'ai compris que, pour lui plaire, je n'avais qu'a être ce que je suis. Cet homme dont elle ignorait qu'il était une vedette quand, petite Suédoise débarquée à Paris, nous avons fait connaissance à une soirée.

Dans son livre autobiographique : *À voix basse* mais aussi dans ses nombreux entretiens vidéo, Charles livre un des secrets de la longévité de son couple : faire chambre à part.

– *Un couple a beaucoup à gagner à faire chambre à part. Il se crée ainsi une intimité en marge du mariage et se ménage un espace de solitude. Chambre à part ne veut pas dire couple disloqué, séparation de corps ou refroidissement de l'amour. Bien au contraire, c'est une forme de respect de l'autre, une sorte de liberté surveillée, protégée, agréable. (...)*

Faire chambre à part, enfin, c'est une manière de laisser subsister un certain mystère, en dépit des nombreuses années de vie commune, et cela donne au couple une sensuelle envie de rester soudé. Chacun retrouve toujours l'autre dans sa meil-

leure forme, l'homme rasé, la femme en beauté, l'œil en éveil. Oubliés la bouche pâteuse, le cheveu hirsute, et autres remèdes contre l'amour…

Cette recette Charles et Ulla l'appliquent depuis quarante-sept ans. Et cela ne les a pas empêchés de faire trois enfants.

– Au début, ma femme m'avait dit : "Mais que vont penser les gens ?" Je lui ai répondu : "Je m'en fous, ils ne vivent pas dans ma chambre à coucher".

Les enfants de Charles

Seda Patricia, la fille aînée de Charles est venue au monde en 1947. Sa maman est Micheline Rugel, première épouse du chanteur, une femme de bonne souche française, fille d'un antiquaire de la rue des Rosiers à Saint-Ouen et authentique Berrichonne.

– *Seda est la seule de mes enfants à avoir du sang français dans les veines, mais ayant été élevée par mes parents exactement comme une enfant d'émigrants, elle a d'emblée épousé deux cultures ; ainsi elle parle et chante si parfaitement l'arménien qu'elle est devenue chanteuse ethnique.*

Seda vit en Californie et a donné à Charles deux petits enfants, Jacob, 19 ans, et Lyra 24 ans, qui est juge.

Charles, son frère, issu de la même lignée est né en 1951. Malgré mes recherches, je n'ai trouvé ni notice biographique, ni déclaration d'Aznavour à son sujet.

Patrick, né en 1956, du second mariage de Charles Aznavour avec Evelyne Plessis est tragiquement décédé par suicide, à l'âge de 25 ans.

Katia, Mischa et **Nicolas** son issus de son union avec la Suédoise Ulla Thorsell.

Katia est née en 1969. Elle a une jolie voix et accompagne son père partout où il chante. Elle lui annonce, un jour, qu'elle veut devenir sa choriste et Charles dit au chef d'orchestre de l'auditionner, sans favoritisme. Charles dit de sa fille *qu'elle chante dans son cœur et dans ses chœurs*.

C'est à l'initiative de Katia que s'est montée, avec le concours de Laurent Ruquier pour le livret, la comédie musicale : *Je m'voyais déjà* qui a triomphé à Paris et, en tournée, en province et dans de nombreux pays. Katia en était la directrice artistique.

La jeune femme a épousé Jean Rachid, producteur et comédien et mis au monde une petite Leïla de 11 ans.

Mischa , né en 1971, après avoir été producteur pendant des années à Paris aux éditions musicales Raoul Breton et avoir voyagé dans le monde entier, ce globe-trotter dans l'âme décide, par amour, de quitter la France pour Moscou. Mischa qui refuse de porter le poids de son nom de famille et se fait donc appeler Mischa Lev, a publié trois romans aux *éditions Anatolia* : *Moscou Blues ! I Love America* et *Ces cons qui m'enchantent*.

Nicolas, né en 1977, a préparé son doctorat de biologie du cerveau à *l'Université de Montréal*. Aujourd'hui, il habite à Saint-Sulpice en Suisse, dans la maison proche de ses parents et travaille à *L'École Polytechnique Fédérale de Lausanne,* en tant que premier assistant, au sein de la *Faculté des Sciences de la Vie.*

Ce tableau de famille ne serait pas complet sans Nooky, le chien labrador de Charles et sans doute un ou plusieurs autres compagnons à quatre pattes, car Ulla, quand elle évoque sa vie au bord du lac Léman, parle de "ses chiens".

À noter : le couple Aznavour n'a ni secrétaire, ni serviteurs, seulement un jardinier. Charles s'occupe lui-même de son courrier et Ulla de sa maison.

Voici la chanson que Charles Aznavour a dédié à sa femme Ulla.

Quand le soc de roc des saisons
Sur nos visages et sur nos fronts
Aura creusé de lourds sillons
De rides.

Quand nos enfants ayant grandi
Auront abandonné le nid
Laissant nos cœurs affaiblis
Le vide ?

Quand nos gestes seront plus lents
Que nous verrons passer le temps
Avec un air étrangement
Lucide.

Quand nous n'aurons plus d'avenir
Nous remuerons des souvenirs
Terre qui ne peut devenir
Aride.

Quand à pas lents et incertains
Nous visiterons des jardins
Qui comme nos fronts seront peints
De givre.

Quand au prix de milliers d'efforts
Nous chercherons sans doute encore
À tuer le temps déjà mort
De vivre. (...)

(...)

Quand nous ne serons désormais
Que deux vies liées sans projet
Nous ouvrirons avec regret
Le livre.

Que nous aurons au fil des ans
Écrit sur les pages du temps
Où deux mots manqueront pourtant :
À suivre.

Quand enfin la vie parcourue
Prêt à entrer dans l'inconnu
Je te regarderai perdue
Et blême.

Quand dans ton regard je verrai
Que sans notre amour désormais
Tes jours ne seront plus jamais
Les mêmes.

Quand mes yeux ne verront plus rien
Que ma main cherchera ta main
À l'heure où parler sera un
Problème.

Après avoir accepté Dieu
Juste avant de fermer les yeux
Encore une fois si je peux
Je te dirai comme un adieu :
"Je t'aime".

Charles Aznavour

CINQUIÈME PARTIE

Argent - Patrimoine - Héritage

Fisc, fisc rage !

En 1972, Charles Aznavour est au centre d'une polémique due à son exil fiscal à Crans-Montana, en Suisse. Inculpé de fraude, l'affaire portée devant la justice durera plusieurs années. Un mandat d'amener international est même lancé à son encontre, alors qu'il se trouve aux États-Unis.

*

* *

Le fisc lui tombe dessus en 1972, accusant Charles Aznavour d'avoir transféré de l'argent sur ses comptes en Suisse, alors qu'il résidait en France, et d'avoir immatriculé un bateau sous pavillon étranger, sans le déclarer aux douanes.

– Le fisc m'a réclamé de l'argent avec raison. J'avais fait une chose toute simple, mon bateau battait pavillon étranger car il était déclaré au nom d'un beau-frère suédois. Résultat, cette histoire a bouffé ma vie et mon argent. En me faisant passer pour un bandit auprès de mon public.

En 1977, Charles Aznavour est condamné à une amende de 10 MF et dix mois de prison avec sursis. Le chanteur a beau prétendre être résident helvétique depuis 1972, après avoir élu domicile dans sa propriété de Crans-sur-Sierre, dans le Valais, l'argument est rejeté par la justice française.

Charles prend à parti le président du tribunal, lors de son procès, déclarant :

– *La France devrait me remercier pour tous les milliards que j'ai fait rentrer dans ses coffres ! Savez-vous que je suis le seul chanteur au monde à se produire dans 78 pays ? (...) Toute ma vie, j'ai travaillé dur ! En France on taxe les artistes et les créateurs comme si on voulait les faire crever.*

Débouté, Charles vend alors une partie de ses biens et s'installe définitivement en Suisse.

– *J'ai dû vendre mes tableaux. Un Soutine, un Vlaminck, quatre Rouault, deux Fragonard. Et pour un prix dérisoire, alors que cette collection vaudrait aujourd'hui deux ou trois cents millions d'euros. Heureusement, j'avais fait de bonnes affaires. Comme avec le Soutine, que j'avais échangé contre ma Rolls ! Mais cette histoire m'a dégoûté de la peinture pendant de longues années.*

Quelques semaines plus tard, Charles Aznavour honore ses engagements dans l'Hexagone, chantant quatre semaines d'affilée à l'Olympia pour un cachet symbolique de 1 F par concert. Mais, même si Charles a payé sa dette à la société, le cauchemar est loin d'être terminé...

En 1979, il est condamné à une amende de 3 MF de francs de l'époque et un an de prison avec sursis pour évasion fiscale.

Contrarié par cette décision de justice, Charles publie dans la presse un poème, sous forme de lettre ouverte, au président de la république Valéry Giscard d'Estaing. Le geste a du panache mais ne renfloue pas les caisses pour autant…

– C'est une banque suisse qui m'a prêté de l'argent pour que je remonte la pente. J'ai pris douze musiciens anglais et j'ai fait le tour du monde, j'ai mis quinze ans pour être à l'aise. Je suis optimiste.

Optimiste certes mais, 34 ans plus tard, Charles Aznavour ne l'a toujours pas avalé… Il précise qu'il travaille en France et y paie les impôts de sa société d'édition, *Raoul Breton* (Piaf, Trenet, Lama, Grand Corps Malade…). Paradoxalement, il a même déclaré sur RTL, en août 2013, qu'il est contre les profiteurs et pour la taxation des hauts revenus !

Lors d'un entretien publié par *La Voix du Nord*, Charles Aznavour a fait une dernière mise au point, destinée à justifier son exil en Suisse et le paiement de ses impôts :

– J'habite en Suisse et je trouve déplorable que l'on dise "ah oui, il est parti en Suisse…". Alors ceux qui partent en Angleterre, en Espagne ou dans les îles ne sont pas partis ! C'est juste la Suisse ! Si j'étais parti en Irlande, je ne paierai pas d'impôts ! En Suisse j'en paie. Et ça on ne le dit pas !

On a inventé un monstre : c'est le monstre de la Suisse. Ça ne tient pas debout leur histoire, d'autant moins que l'on dit que nous ne payons pas nos impôts en France. Si, j'en paie !

Au début de l'année, on m'a tellement emmerdé que je me promenais avec ma feuille d'impôt dans la poche ! Et je la sortais : "regardez ce que j'ai payé !" Au départ, quand je travaille, on retient 15 %. Il y avait un million, cent quinze mille euros, plus les 15 % déjà retenus. La question n'est pas de payer ou pas des impôts en Suisse. Je paie des impôts en Suisse, j'ai un forfait. Je paie des impôts partout où je travaille.

Aznavour laisse également percer un soupçon d'amertume liée à son exil en Suisse pour raisons fiscales : il n'a pas le droit de passer plus de six mois par an en France…

– *Par rapport à la loi, quand je suis ici, à Mouriès (sa propriété des Alpilles), je suis obligé de compter les jours sur mon agenda !*

À combien s'élève la fortune de Charles Aznavour ?

Selon le magazine *People With Money*, Charles Aznavour se classe en tête des chanteurs les mieux payés en 2013, avec des revenus estimés à près de 46 millions d'euros, une hausse de quasiment 20 millions par rapport à l'année précédente.

Pour établir son classement, le magazine *People With Money* tient compte des gains directs mais également des revenus issus des partenariats publicitaires, des royalties et tout autre investissement.

D'après les calculs, le chanteur-entrepreneur pèserait près de 145 millions d'euros. Outre ses gains professionnels il devrait son immense fortune à de judicieux placements boursiers, un patrimoine immobilier conséquent et le très lucratif contrat publicitaire avec les cosmétiques *CoverGirl.*

Il posséderait également plusieurs restaurants à Paris (dont la chaîne *Chez l'gros Charles*), un club de Football et serait aussi impliqué dans la mode adolescente avec une ligne de vêtements : *Aznavour Séduction,* ainsi qu'un parfum : *L'eau de Charles*.

Sa maison du lac Léman

Charles Aznavour vient de faire rénover une villa au chemin des Ramiers, à Saint-Sulpice, à quelques centaines de mètres du bord du lac pour y habiter près de son fils cadet. Une villa d'apparence modeste qui va bientôt accueillir l'une des légendes vivantes de la chanson.

*

* *

Charles Aznavour a jeté son dévolu sur cette commune vaudoise de 3200 âmes et sur une parcelle de terrain, sise à quelques centaines de mètres du bord de lac. La maison ne possède que deux niveaux et ne donne pas directement sur le Léman.

À Saint-Sulpice, les voisins sont au courant de la venue prochaine de l'interprète des *Comédiens*, de *La bohème* ou d'*Emmenez-moi*. Elle ne suscite presque aucun commentaire.

Daniel Mange, professeur honoraire de l'EPFL (École Polytechnique Fédérale de Lausanne) dont la maison se trouve un peu plus haut, souligne tout de même :

– À son âge, se mettre à rénover et construire, je trouve que cela dénote une belle jeunesse. Je lui tire mon chapeau.

Quant au syndic Jean-Charles Cerottini, il se déclare tout simplement heureux de la nouvelle.

– Je ne sais pas s'il nous régalera de ses chansons, sourit-il. *Mais nous ferons tout pour qu'il puisse jouir de la tranquillité qu'offre notre commune.*

Charles et son épouse, Ulla, ne font pas que rénover leur maison, ils en font aussi construire une sur la même parcelle, de l'autre côté d'une future piscine.

Cette seconde demeure sera destinée à Nicolas Aznavour, fils cadet du chanteur, qui habite déjà à Saint-Sulpice et travaille actuellement à l'EPFL, en tant que premier assistant. Ce spécialiste des mécanismes énergétiques du cerveau y effectue un séjour post-doctoral, au sein de la *Faculté des Sciences de la Vie*. C'est notamment pour être plus proches de ce fils que le chanteur et sa femme ont voulu émigrer en terre vaudoise.

Le couple Aznavour a plusieurs fois changé de domicile ces dix dernières années. Jusqu'à présent, ces errances étaient cependant limitées au canton de Genève. Une région chère à son cœur, que Charles avait surnommée : *mon Paris en province* et dans laquelle il résidait depuis près de 35 ans. Le calme de la commune a également joué un rôle dans le choix du futur couple "serpeliou".

– Nous serons très bien ici, grâce notamment à la proximité du lac, ajoute Ulla, *la femme suédoise du chanteur. Nous pourrons promener nos chiens en toute tranquillité.*

Quant à l'aspect fiscal, difficile de savoir s'il a contribué à la venue du couple à Saint- Sulpice.

– *C'est mon mari qui s'occupe des impôts,* assure Ulla Aznavour. *Il est actuellement en tournée à l'étranger.*

Pas plus d'infos du côté du syndic.

– *S'il y a un forfait, il est établi avec le Canton,* explique Jean-Charles Cerottini. *Nous pourrions peut-être en bénéficier. Cependant, les quelques forfaits que nous avons sur la commune sont trop bas selon moi, et ce n'est pas grâce à cela que nous tournons.*

Sa maison des oliviers

Quand on arrive à la gare d'Avignon, il suffit de lancer au taxi : *"Chez M. Aznavour !"* pour arriver devant la grande propriété ceinte d'un mur orange. Après, bien sûr… il faut montrer patte blanche…

*

*   *

La douceur généreuse des Alpilles, Charles Aznavour l'a découverte à peine adolescent quand, avec sa sœur Aïda, il était en tournée, avec *Les Cigalounettes*. Il y est revenu bien plus tard, pour le tournage de la série *Le Paria,* de Denys de La Patellière.

– Le bistrot du "Paradou" était notre QG. Puis, Jacques Pessis (critique de variétés) qui avait une maison par ici, m'a signalé celle-ci.

Charles précise que la propriété faisait 4 000 m^2, qu'elle en fait aujourd'hui 40 000. Qu'il a planté, capté des sources d'eau pure et qu'il a eu *de bons maçons, turcs – il va bien falloir qu'on se réconcilie.*

Depuis près de 20 ans qu'il s'est installé à Mouriès,

Charles Aznavour plante et replante. Il a même transformé sa piscine couverte en gigantesque serre pour y créer un potager.

– *Sur ce terrain, il n'y avait rien, j'ai amené des arbres... J'en ai amené un, il a 900 ans, j'en ai amené de 150 ans, je viens de planter des oliviers, qui ont 100, 125 ans... Il y a une faune extraordinaire et je continue, car je suis un... un amoureux de la nature. Je veux finir ma vie en laissant un parc extraordinaire, avec des choses venues d'un peu partout, d'Espagne, d'Italie, du Portugal, du Maroc...*

Sa première production en AOC de 100 litres a été distribuée à ses amis. En 2010, les choses sérieuses ont commencé avec une production de plus de 600 litres. Charles Aznavour cultive aujourd'hui le double sur 6 hectares et supervise, dès la floraison, les cuvées de sa propre huile d'olive.

– *C'est là, sous le soleil de Provence que se révèle le nectar de mes oliviers, travaillés dans la tradition et le plus grand respect de notre terroir. Mes olives, de variétés typiques de notre région, Salonenque, Verdale des Bouches du Rhône, Grossane et Aglandau sont récoltées à la main et produisent une huile d'une grande finesse.*

Chaque année, comme beaucoup de propriétaires ayant acquis mas et demeure dans les Alpilles, Charles Aznavour apporte ses olives au moulin Jean-Marie Cornille de Maussane, coopérative oléicole de la vallée des Baux (Bouches-du-Rhône).

– *L'huile. D'olive ! C'est mon hobby. J'ai sept cents oliviers, j'espère en avoir mille cinq cents l'année prochaine. Au fond, j'étais fait pour être paysan.*

Les fruits ont été cueillis à la main, sur des arbres durement sélectionnés, plantés à terme. L'huile est fine. Elle est chèrement vendue aux grands cuisiniers, mais aussi chez *Pamplemousse*, le marchand de fruits et légumes de Mouriès.

Sur l'étiquette figure la signature calligraphiée, comme sur les affiches de ce music-hall qui lui doit tant : le A majuscule et le Z à la queue élégante et amplifiée. Charles Aznavour, qui a également une belle cave, conseille d'acheter son huile en bidon, la formule la plus économique.

– *En un tour de chant, je gagne davantage qu'en un an d'olives,* relativise l'artiste.

Charles Aznavour, qui vit officiellement en Suisse, sur les bords du lac Léman, veut prouver ainsi que l'on peut tout recommencer tout le temps ; que si le grand âge déforme les mains à force de rhumatismes, s'il réduit les capacités auditives, s'il entrave le pas, il n'émousse pas l'envie.

Le nouveau paysan provençal a fait venir à lui les journalistes pendant l'été. Il les accueille seul, sur le seuil et, après les avoir entraînés dans sa voiture électrique blanche, pour saluer ses oliviers, il leur fait faire le tour du propriétaire.

En rentrant dans la maison, il fait visiter sa bibliothèque. Chaque soir, il se couche à 9 heures et lit jusqu'à minuit. Des dictionnaires, des encyclopédies, des essais mais sa préférence à lui c'est Céline.

– *Vous saviez qu'il avait écrit des paroles de chansons ? Très mauvaises… J'aurais bien aimé le rencontrer. J'aime apprendre, j'aime écouter. Tout ce qui sort, je lis, j'écoute.*

De la bibliothèque, on passe à son bureau. Grand comme une cathédrale avec des disques d'or sur les murs, des photos, un piano blanc relié à un ordinateur, une table de plusieurs mètres, des canapés profonds, un fouillis de papiers et un fauteuil de massage pour le mal au dos.

– *Le matin, je me lève à 7 heures et je vais à la piscine. Comme je ne sais pas nager, j'ai des flotteurs, une sorte de ceinture qui me permet de faire du jogging dans l'eau. Après ma thalasso et mon petit-déjeuner, je m'enferme. J'écris. Tous les jours. Pendant des heures.*

J'ai quatre maîtres : La Fontaine, Molière, Hugo, Guitry. Je m'entraîne à mettre de la musique sur leurs mots. L'écriture est un muscle. Il faut l'entretenir. J'ai vu Cocteau travailler. Il disparaissait dans son bureau après le déjeuner. J'ai fait comme lui. Je n'oublie jamais les bonnes leçons. J'ai toujours appris des gens. Et comme j'en ai rencontré beaucoup, j'ai beaucoup appris.

Charles entraîne ensuite ses visiteurs dans son "refuge", aménagé dans une aile de la maison.

Au mur : des disques d'or – *dont certains partiront au Musée Aznavour d'Erevan en Arménie* – font face à une grande affiche d'Yvette Guilbert, à deux tars (luths), un iranien, un arménien et un grand ruban rouge et jaune : *Une décoration que j'ai dû gagner à la "Fête de la truffe", près d'ici. Quand je suis là, je réponds aux invitations.*

Il fait chaud. L'hôte offre à boire, du guarana en cannette, soda populaire brésilien, qui tient son nom d'une plante amazonienne revigorante, et dont il a réussi à imposer la commande régulière à l'épicerie du village.

Le patriarche – six enfants, trois petits-enfants – avoue qu'il a été parfois homme-mère, quand sa femme Ulla partait en vacances en Suède où elle est née. Mais elle a été une femme-père, qui avait accepté d'épouser un homme en action, qui n'est jamais là.

Le ying marié au yang, l'animus enlaçant l'anima, voilà cet Aznavour si féminin, si séducteur, l'homme à la lippe gourmande qui, lorsqu'il chante *Les Plaisirs démodés*, se met dos au public, seul sous la lumière, pour danser sensuellement, les mains collées aux épaules, comme si elles étaient celles de l'aimée.

C'est aussi avec une lenteur jouissive que l'huile de Charles Aznavour est distillée, goutte à goutte. Depuis *Après l'amour*, qui fit scandale en 1956 – *draps froissés, membres lourds* – jusqu'aux couplets lascifs des années 90, Charles Aznavour n'a cessé de décliner la volupté et l'usure, les caresses et les déchirures.

L'Huile d'Olive Charles Aznavour est proposée uniquement aux professionnels de la gastronomie et n'est pas disponible aux particuliers dans le commerce traditionnel. En revanche, vous pouvez la trouver sur internet (monsieuraznavour.free.fr). Elle est à votre disposition au même prix (60 euros, port inclus) sous 2 formats : une luxueuse bouteille de 75 cl, présentée dans une superbe boîte afin de la préserver de la lumière ou un joli bidon en aluminium de 1 litre.

Son héritage

Charles Aznavour n'est pas superstitieux : la mort n'est pas pour lui un sujet tabou. Il n'hésite jamais à parler de ce qui se passera après, même s'il espère… que ce sera le plus tard possible. C'est pourquoi, tout naturellement, il aborde le sujet de sa santé, de sa disparition et de son héritage, tant dans ses entretiens que dans ses livres.

*
*   *

L'an dernier, la mort du chanteur est annoncée sur internet, agrémentée d'un récit détaillé – et anonyme – sur ses derniers moments.

– Il était dans un état pénible à voir et, avant de rendre le dernier soupir, il tremblait comme une feuille ou comme un parkinsonien…

En découvrant la nouvelle, Charles se précipite dans sa salle de bains et se plante devant le miroir.

– J'ai pensé : mort, je ne le suis pas, je m'en serais rendu compte, mais au bord du trépas, qui sait ? Les taches brunes étaient toujours sur mes mains, les ornières n'avaient pas

déserté mon visage. Pour le reste, rien à signaler. Je me porte à merveille et j'ai la ferme intention de vivre cent vingt ans. Peut-être de quoi vous survivre, à vous, les salopards, camouflés dans l'anonymat de leur ordinateur.

Invité au micro de RTL par Christophe Hondelatte, Charles Aznavour confirme que ce n'est pas la première fois que de telles rumeurs circulent :

– *Ça fait des années qu'on téléphone à ma sœur, à ma femme, pour leur dire : un avion est tombé, il est mort… J'ai l'habitude d'être mort.*

Il y en a qui font ça de temps en temps. Peut-être qu'ils veulent que je parte. C'est pour ça que, même si je ne chante plus à la télévision, j'y vais encore, à l'occasion, pour dire que je suis vivant !

Il profite d'ailleurs de cet entretien pour délivrer son bulletin de santé, *comme les présidents en exercice*, dit-il en rigolant.

– *Ma santé est moyenne en ce moment, admet-il. Je fais des bronchites tous les ans. J'ai fumé beaucoup. C'est comme ça. Il y a deux choses qui sont graves : boire un p'tit coup et fumer. Heureusement, j'ai arrêté de fumer mes trois paquets de Gauloises par jour à 36 ans et je bois beaucoup moins…*

La mort, Charles Aznavour ne la craint pas, dit-il, ce qu'il regrettera… c'est seulement de ne plus vivre !

Chaque soir, avant de s'endormir, il se demande s'il verra encore le soleil se lever sur le monde de demain.

– *C'est une angoisse récurrente, mais qui ne me dure jamais plus de quelques secondes. Elle s'estompe peu à peu et je finis par succomber tranquillement au sommeil.*

Ce que Charles espère surtout, quand son heure viendra, c'est de s'endormir délicieusement, sans s'en apercevoir.

– *Que peut-on se souhaiter de mieux à soi-même ? Rien, à part peut-être que cela arrive le plus tard possible, ou même pas du tout. Je suis d'un naturel optimiste !*

Quand on évoque l'héritage qu'il laissera à ses enfants, Charles – qui se souvient de ses démêlés cuisants avec le fisc – esquive tout ce qui est lié à sa fortune et à son patrimoine : il n'évoque que ses "souvenirs".

– *Ce matin, à mon réveil, ma femme partait pour la Suède. J'étais seul pour le petit-déjeuner et j'ai regardé les trucs autour de moi. Je me suis demandé ce que j'allais faire avec tout ça. Je ne veux pas que mes enfants soient pris avec ça et qu'ils ne sachent pas quoi en faire.*

Aussi, pour ne pas encombrer ses descendants avec tous les trophées et disques d'or qu'il possède, Charles Aznavour a décidé de s'en départir et d'en offrir la majorité à des œuvres de charité.

Par exemple, l'affiche qu'il possède d'un spectacle d'Édith Piaf : *c'est écrit Piaff avec deux F, c'est une erreur et c'est unique*, il va la donner à un musée de la chanson, même si plusieurs personnes l'ont approché pour l'acheter.

– *Quand j'aurai franchi la dernière porte, j'espère que mes enfants sauront la refermer sur mon passé. Que vont-ils s'encombrer des orchestrations, des milliers de photos, disques d'or, trophées, affiches de films marouflées qui ont reflété ma vie professionnelle ? Tout cela est si volumineux et mange une telle place, tout cela est si inutile, qu'ils s'en trouveront vite surchargés. Alors, du balai !*

Il est vrai qu'en 70 ans de carrière et plus de 150 albums lancés sur le marché, Charles Aznavour a reçu un nombre inimaginable de trophées.

– *On ne sait pas tout ce que j'ai. Est-ce que vous saviez que j'avais eu le prix de la meilleure chanson country, à Nashville ? En Angleterre, j'ai reçu le prix de l'homme le mieux habillé de l'année. Je suis au "Hall of Fame" à New York et le "Times" m'a nommé artiste de variété du siècle. Pour les disques d'or, j'en ai deux murs complets.*

Bien sûr, avant de faire ce grand débarras, Charles fera plaisir à ses enfants et petits-enfants.

– *Je vais leur donner quelque chose à chacun. Déjà, je leur ai donné ma discographie complète. Petit à petit, je vais me débarrasser de tout. Je vais être libéré totalement. On vient nu sur Terre, on part nu. Personne n'ira se coucher dans son cimetière avec son Oscar à la main.*

J'ai toujours pensé qu'un jour, ça se terminerait. Je n'ai jamais pensé qu'il était absolument sûr que je ferais une carrière au-delà de 87 ans. Il faut avoir les pieds sur terre avant de les avoir sous.

SIXIÈME PARTIE

Charles Aznavour vu du ciel

Astrologie solaire
Le ciel de naissance de Charles Aznavour

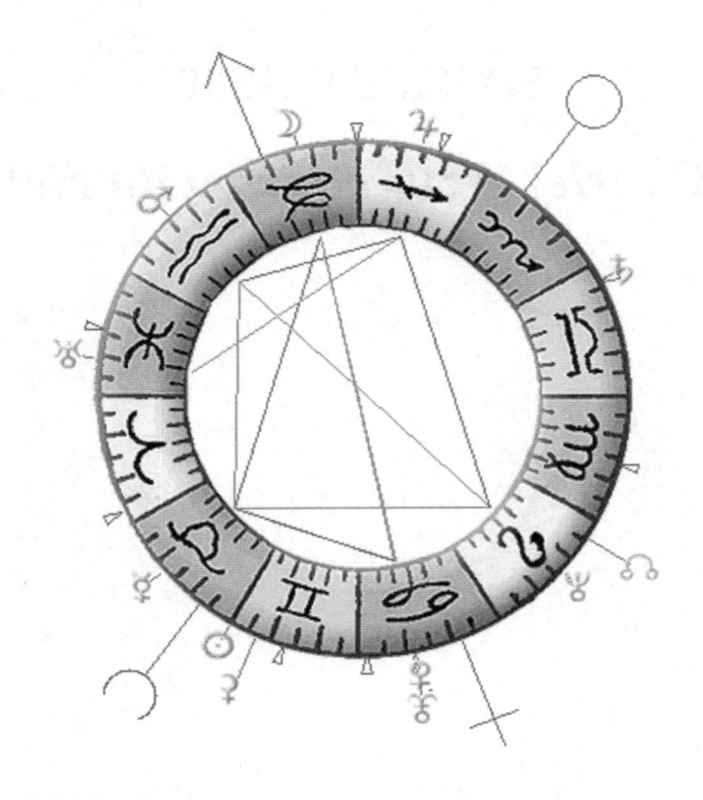

Né le :	22 mai 1924, à 0 h 15
À :	Paris (France)
Signe :	Gémeaux
Ascendant :	Capricorne
Dominantes :	Saturne, Pluton, Mercure

Éléments dominants : Terre et Air

• Avec une majorité d'éléments en signes de **Terre**, Charles Aznavour est efficace, concret, et sans trop d'états d'âme. Ce qui compte, c'est ce qui se voit et ce qui peut durer : pour lui, on juge l'arbre à ses fruits. Les idées changent, les paroles disparaissent, mais les actes et leurs conséquences sont visibles et restent.

• La prédominance des signes d'**Air** dans son thème favorise et amplifie son goût pour les relations avec autrui et les déplacements de toutes sortes, qu'ils soient réels (voyages) ou symboliques (idées nouvelles, évasion par l'esprit).

Planètes dominantes : Saturne, Pluton et Mercure

• **Saturne** fait partie des dominantes planétaires du thème de Charles Aznavour : il a donc – parmi les facettes de son caractère – un côté sérieux et grave, sage et quelque peu sévère tant sa concentration peut être forte, au détriment d'un laisser-aller, forcément plus facile et convivial aux yeux des autres.

Son côté austère n'est souvent qu'une apparence, une forme de réserve ou de pudeur. La vulnérabilité de Charles réside dans ce côté justement trop sérieux et sévère, qui peut parfois le pousser à une solitude non voulue et un sentiment d'isolement et de frustration affective.

• Avec **Pluton** comme dominante planétaire de son thème natal, Charles Aznavour est, quelque part, un prédateur, magnétique et puissant, qui, à l'instar du signe du

Scorpion que cette planète gouverne, a besoin d'exercer une forme de pression pour "tester" son entourage ou son environnement. Il est toujours prêt à évoluer, à risquer la destruction pour la reconstruction – y compris la sienne – à vivre plus intensément, tout en manifestant son autorité, secrète mais réelle, sur les choses et les gens qu'il croisera dans sa vie.

On pourrait le juger trop autoritaire mais en fait, c'est son instinct qui parle : Charles sonde les autres et aime exercer son pouvoir ; tout simplement parce qu'au fond de lui-même, l'énergie vitale est là, trop puissante pour ne pas sortir et faire de lui un homme d'action mais aux motivations cachées. C'est un être de passion, quelquefois incompris, mais dont l'immense atout est de rebondir, avec une force toujours plus grande, après chaque épreuve de la vie.

Avec la planète **Mercure**, qui fait partie de ses dominantes planétaires, Charles est cérébral, nerveux, rapide, curieux, vif et adore communiquer. Sa sensibilité, ses émotions, les élans de son cœur, tout cela a tendance à passer après la réflexion, et peut, de ce fait, le faire passer aux yeux de son entourage pour un joueur habile et pétillant mais intellectualisant les situations et jonglant avec les mots et les idées, sans prendre en compte l'aspect humain des choses.

La vulnérabilité de Charles Aznavour se situe dans sa nervosité. Il peut arriver qu'il manque le but par cette "mentalisation" trop forte, qui peut s'exercer au détriment des autres formes d'énergies, indispensables à toute communication : le cœur, l'instinct, la spontanéité, la sensibilité…

Son ascendant : le Capricorne

Son ascendant Capricorne apporte à Charles Aznavour un cachet sérieux, et parfois un peu grave. Mais si il a ce côté réservé et un peu froid, il possède, en revanche des qualités solides : volontaire et résistant, sa vision à long terme, son sens du devoir et son ambition n'ont que faire des mouvements dérisoires qui déclenchent des secousses d'humeur. De plus, il est comme le bon vin : il vieillit bien et sa gravité naturelle se mue, paradoxalement, presque en une apparence enjouée lorsqu'il a pris de l'âge.

Charles est, à l'intérieur, très sensible quand il s'agit d'amour. Loyal, prévenant et doux, son comportement est assez différent pour la vie de tous les jours et pour les questions affectives. En fait, un cœur d'or bat sous son apparence parfois un peu austère ou dure…

Une sensibilité en retrait

Plus que tout autre, Charles Aznavour a tendance à s'enfermer dans sa tour d'ivoire. Ses humeurs ne sont pas visibles car il les discipline et les contrôle de main de maître. Il a du mal à montrer ce qu'il ressent, ou bien, tout simplement, il considère que cela lui appartient et n'a pas à être exposé.

Hormis sa vie affective où il s'exprime librement, ses émotions se dévoilent souvent dans un contexte lié à l'humanitaire ou au combat des injustices. Cela efface, en effet, le côté personnel et lui permet de mieux laisser échapper, sans trop se livrer, ses états d'âme habituellement discrets ou masqués.

Sur le plan intellectuel

L'esprit de Charles Aznavour est calme et pondéré et, même s'il assimile lentement les choses, sa mémoire est considérable. Son jugement est basé sur la réflexion et la raison et s'appuie toujours sur l'expérience.

Sa curiosité et sa vivacité d'esprit sont insatiables. Son esprit est constamment en ébullition, passant d'un sujet à l'autre, résolvant des problèmes, accumulant les anecdotes et les connaissances.

L'acquisition du savoir et l'écriture, sont pour lui des domaines privilégiés. Il est heureux du moment que son intellect est en effervescence. Toujours friand de nourritures intellectuelles qu'il ne manquera pas de glaner ici ou là.

Sur le plan relationnel

Charles est un bon conseiller, quelqu'un sur qui l'on peut compter et à qui l'on peut se confier en toute discrétion. Plein de bon sens, prudent, méthodique et discipliné, il peut mener à bien des projets constructifs, d'autant qu'il est souvent très déterminé dans ses opinions et ses actions.

Charles s'exprime avec beaucoup de charme et de courtoisie, cela lui permet de mieux faire accepter à autrui ses habitudes bien établies et ses diktats, toujours pétris au coin du bon sens.

Sur le plan sentimental

Malgré de réelles facultés d'échange et de communication, Charles Aznavour fait preuve d'une affectivité particulièrement sélective, n'aimant vraiment que ceux qui lui sont familiers, avec lesquels il se sent naturellement en harmonie.

Particulièrement attaché à sa famille et à son foyer d'origine, il a besoin, pour se sentir bien, de cette atmosphère douillette et chaleureuse, de l'amour de ses parents et, plus tard, de la sécurité familiale qu'il s'efforcera de construire.

À la fois sensible, vulnérable et tendre, c'est en toute confiance que sa partenaire peut s'abandonner dans une relation durable et sécurisante. Sa famille est un refuge, presque un sanctuaire.

Son quotidien en couple n'est pas particulièrement pétillant, mais la durée et la solidité des sentiments compensent l'absence de spontanéité et de folie. Le point noir : Charles est rarement disponible, toujours trop occupé par son travail et voué à la réussite de ses projets. Toutefois, son foyer est solide, l'ambiance sérieuse, les enfants élevés dans la meilleure tradition, et dans une éducation tournée vers l'effort qui, il le sait, est toujours récompensé.

Sur le plan professionnel

Charles Aznavour a une façon d'agir plutôt paradoxale : il exerce à merveille ses activités lorsqu'il travaille entouré d'une équipe. Sa particularité principale : le souci de marquer et d'exprimer son originalité et sa spécificité, tout en étant bien immergé dans une communauté humaine.

L'esprit de compétition lui est totalement étranger, Charles préfère nettement être utile et conquérir de nouveaux territoires, en général d'ordre humanitaire ou intellectuel.

Toujours en mouvement, il a en lui cette impulsion qui permet à ses pensées et ses projets de se matérialiser dans le monde manifesté. Le seul danger pour lui est d'en faire trop et, pour ne pas voir s'installer l'ennui, de dépasser les limites de sa résistance physique.

Quelques célébrités ayant la même date anniversaire

Richard Wagner, Laurence Olivier, Arthur Conan Doyle, Gérard de Nerval, Naomi Campbell, Guy Marchand.

Son signe astrologique chinois

Son signe chinois : Le Rat

Son élément : Le Bois

Selon la légende du cycle animal, Bouddha, avant de quitter cette Terre, convia tous les animaux à ses adieux. Douze espèces seulement répondirent à son appel. Ce sont les composantes du zodiaque chinois, image des douze voies d'une sagesse toujours actuelle.

*

* *

Le signe du Rat

La personnalité de Charles Aznavour est secrète et mystérieuse : il préfère agir dans l'ombre plutôt que de dévoiler ses desseins et ses ambitions. Sensible à la moindre faille relationnelle, il montre une très grande prudence dans ses amours et ses amitiés.

Charles n'aime guère la multitude et l'agitation, préférant

de très loin un climat plus intimiste dans lequel son habileté humaine pourra s'exprimer pleinement. Il sait, mieux que d'autres, faire face à l'adversité en contournant subtilement les obstacles et en manipulant, s'il le faut son entourage.

Redoutable en cas de crise : il déjoue les pièges avec une facilité déconcertante et sait également, à l'occasion, se montrer calculateur.

Il ne se livre jamais complètement : en effet, ce serait une façon de donner à d'autres les moyens d'agir contre lui ! En revanche, il est passé maître dans l'art de faire dire ce que ses interlocuteurs voulaient cacher. Un mot suffit d'ailleurs à lui faire deviner les enjeux sous-jacents d'une situation.

Ses conseils s'avèrent le plus souvent très judicieux. C'est la raison pour laquelle on dit son influence bénéfique.

L'élément Bois

L'astrologie chinoise compte cinq éléments nommés agents : le bois, le feu, la terre, le métal et l'eau.

Charles Aznavour est en affinité avec l'agent Bois. En Chine, cet élément correspond à la planète Jupiter, la couleur verte et le chiffre 8.

Sensible à l'harmonie de son cadre de vie, Charles Aznavour passe pour un être conciliant. Il lui semble en effet inutile de heurter ses proches sans raison solide. Il tente au contraire de maintenir l'équilibre autour de lui.

L'agent bois induit certaines facultés créatives : l'ardeur

de son imagination va de pair avec un sens des réalités qui lui évite de poursuivre des objectifs chimériques. Ses nombreux projets pourront ainsi être menés à terme, d'autant qu'il sait mieux que d'autres convaincre ses interlocuteurs et se forger les appuis nécessaires à ses desseins et ambitions.

La diplomatie qu'il déploie lorsque ses intérêts sont en jeu ne peut que faciliter la réussite de ses entreprises. Seul risque : celui de disperser son énergie, de parvenir à saturation à trop vouloir créer, concevoir, composer... Charles doit donc limiter parfois ses champs d'investigation.

Numérologie : son chemin de vie

Le chemin de vie donne des indications sur le type de destinée que le sujet est amené à vivre, à partir de sa date de naissance.

Le chemin de vie de Charles Aznavour est lié au nombre 7

Le chemin de vie 7 révèle un destin marqué par la vie spirituelle, la recherche et l'introversion.

Le nombre 7 incite à une relative prise de distance vis-à-vis des valeurs communément admises. Charles Aznavour est en quête de sagesse, au prix parfois d'une certaine solitude.

Ce peut être une curiosité ou un authentique intérêt à l'égard de la métaphysique, de la religion ou de la spiritualité, ou la volonté de suivre un cheminement personnel s'écartant des sentiers battus, de se bâtir une destinée spécifique. La vie de Charles est une initiation : les aléas de l'existence ne sauraient le détourner de sa recherche.

Si la quête d'un certain absolu s'avère un puissant facteur de créativité pour lui, son cheminement s'accommode mal des solutions de facilité, le danger étant que son goût pour l'indépendance ne l'entraîne parfois à passer pour une personne froide et rigide à l'excès, d'autant que le nombre 7 marque les destins hors du commun qui imposent parfois des sacrifices, notamment sur le plan relationnel.

SEPTIÈME PARTIE

La revue de presse

Des mots qui sonnent...

Extraits d'un entretien avec Eric Donfu
Publié sur le site Agora Vox

Le 1er décembre 2006, Eric Donfu, président de *XYZ, le festival francophone du mot et du son nouveau*[1], remettait à Charles Aznavour : *le premier prix du mot révélé* pour sa chanson : *Des mots*[2], qui figure dans l'album : *Je voyage*. Dans cet entretien, Charles Aznavour parle des mots comme il l'a rarement fait car, dit-il : *le mot est devenu la chose la plus importante de ma vie !*

Eric Donfu : – *Est-ce que vous avez inventé des mots, Monsieur Aznavour ?*

Charles Aznavour : – Oui ! Je suis capable d'écrire : *votre vestimentation,* ce n'est pas un mot qui existe, et pourtant le mot alimentation existe ! Alors je trouve anormal que l'on puisse dire aliment, alimentaire et alimentation et pas vestimentation ! Si, dans une chanson, j'ai besoin

[1] Voir encadré page 122.
[2] Voir texte intégral pages 120-121.

d'une rime avec l'idée de se vêtir, j'utiliserai le mot vestimentation et personne ne se rendra compte que le mot n'existe pas. (...)

Lorsque j'ai écrit : *Comme ils disent*, j'ai parlé de la rue Sarasate. Pour avoir la rue Sarasate j'ai fait toutes les rues de Paris, pour savoir s'il y avait une rue en *ate*, il n'y en avait qu'une. Et je l'ai employée. Mais si je n'avais pas trouvé, j'avais décidé que je mettrais la rue Socrate, sachant pertinemment que personne ne sait s'il y a, ou pas, une rue Socrate dans Paris. (...)

E. D. – *C'est vrai, vous êtes peut-être un de ceux qui ont le mieux utilisé la sonorité des mots français, quand on se souvient de "La Bohème" ...*

C. A. – Ce n'est pas de moi le texte : c'est de Jacques Plante. Moi je n'ai écrit que la musique. Mais quand il m'a amené les quatre premiers vers de *La Bohème : "Je vous parle d'un temps que les moins de vingt ans ne peuvent pas connaître"*. Je lui ai dit c'est bon, continue !

J'ai toujours accepté les bons auteurs, c'est la raison pour laquelle j'ai très peu de textes dans mes chansons qui ont été écrits par d'autres parce que je ne suis jamais satisfait de la manière de les écrire... les idées sont souvent bonnes, l'écriture, souvent, pas bonne. Moi, quand Bruel chante une chanson et dit *J'taim*, je trouve ça horrible, quand *Je t'aime* est tellement joli... Pourquoi inventer un mot comme celui-là ? Il ne faut pas hésiter à ajouter une note. Les notes ont moins de valeur que les mots à mon avis... Surtout les notes d'électricité (rires). (...)

E. D. – *En ce qui concerne cette chanson "Des mots", qui nous a beaucoup touché, il y a un choc sur les mots, avec un orches-*

tre symphonique… alors dites-nous, pourquoi cette chanson sur les mots ?

C. A. – Moi je suis un primaire, un primaire pur. Certificat d'études sans mention, à l'âge de dix ans et demi et adieu l'école ! Ensuite, quand on veut aller plus loin, et qu'on n'en a pas les moyens, il faut les trouver. Moi, ma vie ne me convenait pas, j'ai donc appris beaucoup de choses. Et le mot est devenu la chose la plus importante de ma vie.

Mais pas seulement le mot en français, le mot en espagnol, le mot en italien, le mot en anglais, le mot en russe, en arménien bien sûr. J'aime toutes ces langues ... Il y a au moins deux langues que j'aurais aimé connaître, c'est l'Arabe et le Chinois. Le Chinois j'ai essayé, je n'ai pas réussi. L'Arabe, peut-être que si je commençais, je pourrais réussir un petit peu.

Ce sont les langues difficiles qui m'intéressent. Je suis intéressé par les mots, je suis intéressé par les phrases, je suis intéressé par les jeux de mots, les plus bêtes, comme les meilleurs, parce que pour faire un très bon jeu de mot ou une très bonne contrepèterie, il faut en faire une dizaine de mauvaises. (...)

Au début j'ai écrit des chansons qui étaient difficiles pour les gens. J'arrivais avec un style nouveau, je jouais avec les mots, je jouais avec les sons… Comme je trouvais que la langue anglaise était plus pratique pour écrire, j'essayais d'écrire le Français avec des mots très courts, ce que j'ai fait énormément, même si par la suite, j'ai changé. Mais c'est vrai que les mots, pour moi… vous trouverez toujours un dictionnaire là ou je me trouve, j'ai toutes sortes de dictionnaires… on emploie toutes sortes de mots et on en oublie beaucoup… Alors, il y a le Robert, le Larousse, ... j'ai ça à côté de mon lit et, depuis peu, le Littré.

E. D. – *Et Queneau, vous l'avez connu ?*

C. A. – Non, j'ai connu Cocteau, j'ai connu Achard, et aux États-Unis, j'ai connu, comment il s'appelle, celui qui a écrit *Fahrenheit* et les choses extra-terrestres… Ray Bradbury… J'ai connu ces gens là, j'ai connu Prévert, bien sûr, Salmon, des poètes surtout, j'ai toujours été très attiré par la poésie, sachant pertinemment que je ne serai jamais poète moi-même car c'est un autre état d'esprit que le mien. J'aime beaucoup la poésie, mais je n'ai pas l'état d'esprit d'un poète. Malheureusement, je ne les lis pas souvent dans mes textes, mais j'aime Saadi, j'aime le poète portugais Pessoa…

E. D. – *Et chez les Français, Eluard, Char ?*

C. A. – Plutôt les anciens. Ronsard, et Victor Hugo. J'adore Victor Hugo. J'ai une passion pour tout ce qui est Victor Hugo. Quand on m'interroge et que je dis Victor Hugo, on me regarde comme si Victor Hugo était une réponse commune, même au-dessous des autres, alors que pour moi, il est souvent au-dessus des autres ! Tout comme Balzac ! Disons que pour aborder des thèmes pour la chanson, les deux plus intéressants sont Victor Hugo et Balzac, parce que les thèmes sont des thèmes forts, comme chez Molière, Corneille ou Racine. On ne s'en rend pas compte, mais il y a une versification qui est merveilleuse, et moi j'aime bien versifier très proprement.

J'ai pas commencé comme ça, j'ai écrit : *Tu't'laisses aller, J'me voyais déjà,* mais très vite, je me suis rendu compte qu'il fallait utiliser chaque syllabe, même dans les chansons rapides, il y a toujours des liaisons. J'appelle cela un texte propre. Les gens comme Béart écrivent des textes propres, c'est ce que j'aime. Je me sens proche des gens qui écrivent correctement le Français. Par exemple je me mets souvent en colère à la télévision. Quand j'entends dire : *c'est une boté.* J'ai envie de leur dire elle est boté comment ? Des jambes ? Le mot beauté a sa prononciation !

C'est comme la lettre X, on ne l'entend plus ! Écoutez les gens dire *extraordinaire*... la plupart disent *esstraordinaire*... Maintenant on dit des *CatCat* et plus des *quatre-quatre,* le chiffre quatre n'est plus prononcé. On ne dit plus le *quatre septembre,* mais le *quat septembre*... Çà m'énerve ! Je me rends compte tout d'un coup que les étrangers et les fils d'étrangers, sont souvent plus attachés à la langue que les Français eux-mêmes, car j'ai des amis comme moi qui sont d'origine italienne ou d'origine espagnole, et bien, ils sont, comme moi, attachés à la langue française.

E. D. – *Dites nous ou vous en êtes, vous êtes en train d'enregistrer ?*

C. A. – Ah, j'ai fini. J'ai écrit une chanson très écologique, car je suis très inquiet de l'avenir de la planète, cette chanson s'appelle : *La terre meurt* et j'ai écrit aussi une chanson sur les banlieues, car je suis très proche de cette jeune immigration...

E. D. – *D'ailleurs vous éditez Grand Corps Malade, qui est une révélation du Slam...*

C. A. – Grand Corps Malade, c'est bien ! C'est mon gendre et ma fille qui s'en occupent. Il écrit très bien. Mais ici on a que des gens comme ça, Serge Lama, qui est un des très bons auteurs de notre époque, avec un français impeccable. On a Linda Lemay, qui, dans la francophonie, est une artiste très très sérieuse. Et une toute jeune femme qui s'appelle Agnès Bhil, qui est vraiment formidable, il faut que vous l'écoutiez. On a aussi SanSeverino, qui est encore une chose différente.

E. D. – *Oui, il y a des jeunes qui reprennent le flambeau.*

C. A. – Oui, il y en a, il y en a quelques-uns aujourd'hui. Il y en a certains que je trouve légers point de vue mots, mais il y en a d'autres qui sont plus forts. (...)

Des mots

Des mots pour parler de ces mots
Pour parler fort pour parler haut
Des mots prononcés pour l'histoire
Des mots sortis de la mémoire

Des mots charmants
Des mots d'enfants
Des mots pour papa et maman

Des mots nouveaux de dictionnaire
Des mots en langues étrangères
Des mots écrits des petits mots
Des mots crachés qui font gros mots

Des mots des mots toujours des mots
Il faudrait se méfier des mots

Des mots pour jouer avec les mots
Des mots riches et des mots idiots
Des mots pour mentir sans vergogne
Des mots tendres et des mots qui cognent

Des mots insensés ou abscons
Des mots savants ou des mots cons
Des mots chuchotés à la messe
Et des mots pour parler de fesses

Des mots pour aider son prochain
Des mots pour vendre son voisin
Des mots des mots toujours des mots
Il faudrait se méfier des mots

Des mots pour rassurer parfois
Des mots semant le désarroi
Des mots chantant des mots intimes
Des mots cruels qui poussent au crime

Des mots snobs et des mots d'argot
Des mots tranchants comme un couteau
Des mots auquel le cœur succombe
Des mots prononcés sur les tombes

Des mots vides et des mots ronflants
Des mots qui détruisent les gens
Des mots des mots toujours des mots
Il faudrait se méfier des mots

Des mots perfides et sentencieux
Des mots pour s'adresser à Dieu
Des mots qui restent symboliques
Des mots pour les nuits érotiques

Des mots qu'on voudrait oublier
Des mots très durs à prononcer
Des mots qui vous envoient vous battre
Des mots prestigieux de théâtre

Des mots simples des mots d'amour
Des mots rimant avec toujours
Des mots des mots toujours des mots
Il faudrait se méfier des mots

Paroles et musique de Charles Aznavour

XYZ, le festival du mot et du son nouveau

C'est le premier et le seul festival francophone du mot et du son nouveau. Ce n'est pas un festival de poésie ou de littérature, pas même un festival dédié aux mots qui existent, c'est le festival de la création de mots, néologismes, mais aussi emprunts, formants… c'est pour cela qu'il est aussi ouvert aux sons, car les mots, au départ, sont des sons, le mot venant lui-même du latin motum qui veut dire son.

C'est sa cinquième édition. Il se tient chaque année la troisième semaine de novembre, en même temps que le Beaujolais nouveau, en musique et dans l'esprit de René Fallet, à la fois à Paris et bientôt dans d'autres lieux en France, et tout converge au Havre, où il a été créé et où il délibère chaque année, toujours en hommage à Raymond Queneau, dont c'est la ville de naissance.

Chaque millésime a son mot nouveau élu. Depuis 2002, ce sont : Se faire électroniquer, Humanicide, Chaudard, Désoiffer et le dernier Ordinosaure. Leurs définitions sont dans notre dossier mais ils parlent d'eux-mêmes…

À Cannes, au Carlton

Extraits de l'Interview du Parisien
Publiée le 14 mai 2009

Dans l'immense salon du Palace cannois, *le Parisien* a rencontré Charles Aznavour, deux heures avant qu'il ne monte les marches du Palais pour la projection de *Là-Haut*: le premier film d'animation en relief à faire l'ouverture du Festival. Dans la version française de cette production des studios Pixar, Charles prête sa voix au héros, Carl Fredericksen, un vieillard bougon.

*

* *

Le Parisien : – *C'est la première fois que vous faites le doublage d'un dessin animé. Qui a pensé à vous pour "Là-Haut" ?*

Charles Aznavour : – C'est mon gendre, Jean-Rachid, qui me l'a proposé. J'ai mis quarante-huit heures pour me décider parce que je voulais me reposer. Mais je crois que le travail m'est plus bénéfique que le repos. Alors j'ai dit oui à *Disney-Pixar*. On m'avait donné cinq jours pour l'enregistrement de la voix. En deux jours, c'était fait.

L. P. – *Qu'est-ce qui vous a attiré dans cette histoire ?*

C. A. – C'est un beau film parce qu'il est humain. Au début, cet homme n'aime personne, ni les enfants ni les animaux, et il finit par s'ouvrir aux autres. C'est un personnage qui apprend des choses à la jeunesse.

L. P. – *Êtes-vous souvent venu au Festival ?*

C. A. – D'abord, je connais bien puisque j'ai passé une partie de mon enfance à Cannes. Je faisais partie d'un groupe, les *Cigaloulettes*, à l'âge de 11 ans. Plus tard, j'ai acheté une fermette à mes parents dans la région et j'ai eu des bateaux dans les ports de Cannes, à la Napoule et au Port-Canto. Et j'ai monté les marches pour le *Rat d'Amérique*, de Jean-Gabriel Albicoco et *Ararat*, d'Atom Egoyan.

L. P. – *Vous avez même une propriété en Provence…*

C. A. – Au départ, je voulais acheter un vignoble. Et puis, j'ai vu que Jean Reno avait des oliviers. Et je me suis dit : je vais planter aussi des oliviers. Mon huile sera commercialisée l'année prochaine. Cette maison, je la laisserai à mes enfants. Sinon, j'ai décidé de tout vendre. Tout ce que je possède. J'ai des tableaux d'une certaine valeur et je n'aimerais pas que mes enfants se les disputent.

L. P. – *Que vous inspire votre carrière d'acteur ?*

C. A. – Je ne suis pas malheureux de ne plus faire de films. Je n'ai pas eu de vraies relations dans le milieu du cinéma. Et on a beau dire, ça aide ! Je suis tellement bien servi par mon public sur scène, que je n'ai pas d'autre envie. Mais je ne dis pas non à un film. Même si je suis arrivé à l'âge où on a envie de vivre avec les siens.

À Nice, au Festival du Livre

Extraits de l'Interview de Corse Matin
Publiée le 20 juin 2010

Du haut de son mètre soixante-trois, Charles Aznavour domine la chanson française depuis plus d'un demi-siècle. *Papy fait de l'insistance,* dit-il en plaisantant. Pour mesurer sa cote de popularité, il fallait le voir dédicacer *"À voix basse"*, son récit autobiographique, (*éditions Don Quichotte*) au *Festival du Livre de Nice.*

*
* *

Corse Matin : – *Pourquoi cette autobiographie, aujourd'hui ?*

Charles Aznavour : – Mon livre n'est pas seulement une autobiographie. On y trouve beaucoup de moi-même, mais je me sers surtout de mon expérience pour expliquer aux jeunes ce qui les attend dans ce métier.

C. M. – *Qu'est-ce qui les attend ?*

C. A. – Souvent, de grandes désillusions. Voilà pourquoi je veux les protéger. Je le faisais déjà avec Johnny, quand personne ne voulait croire en lui. Aujourd'hui, beaucoup de jeunes sont formidables. Biolay, Delerm, Bénabar... Ou, dans un autre genre, MC Solaar, Kery James ou Grand Corps Malade que j'ai accompagné dans un duo.

C. M. – *Vous rappelez que les étoiles de la chanson, souvent, sont filantes.*

C.A. – Regardez la *Star Academy*. Les anciens dont on parle sont rarement ceux qui ont gagné. C'est bien la preuve qu'un artiste, ça ne se fabrique pas. Au fond de lui, l'artiste existe déjà. On peut l'aider ou l'orienter. Mais on ne peut pas l'inventer.

C. M. – *La notoriété vous a parfois emprisonné ?*

C. A. – Non, parce que je n'ai pas été une révélation, comme on dit. On n'a jamais arraché mes vêtements. Et comme j'ai une épouse qui a horreur de la célébrité, je n'ai pas sacrifié ma vie privée. Ulla respecte ce que je fais pour mon métier. De mon côté, je respecte son désir de discrétion. L'équilibre, c'est essentiel et c'est possible.

C. M. – *À vos débuts, la critique s'est acharnée. On a parlé d'un physique ingrat et même d'une voix horrible !*

C. A. – Oui, j'ai eu droit à tout. On a même parlé de chansons inchantables. Les choses ont bien changé... Autrefois, les critiques avaient tendance à mettre leur goût en avant. Aujourd'hui, c'est différent. Un exemple : on encense les Bleus avant même qu'ils aient donné un seul coup de pied dans le ballon. Ensuite, on les descend. Je ne dis pas qu'ils ont bien joué, en plus je m'en fous complètement. Simplement, ces footballeurs, ce sont les nôtres !

C. M. – *Le succès à trente ans cela vous a paru long ?*

C. A. – Non. Injuste, mais pas long.

C. M. – *Revenons au livre. Vous y parlez aussi de votre arménité. Un spectre qui vous hante ?*

C. A. – Juifs, Rwandais, Cajuns ou Arméniens : une addition de génocides sur fond de sauvagerie du monde. Pour certains peuples, ce poids ne s'efface pas. C'est comme ça...

C. M. – *La reconnaissance de ce génocide vous paraît-elle un préalable à l'entrée de la Turquie dans l'UE ?*

C. A. – Je crois qu'elle devrait l'être. Malheureusement, le gouvernement turc a une manière de danser le tango qui me dépasse. Un pas en avant, deux en arrière. J'ai entendu un haut responsable de ce pays condamner le massacre de sept ressortissants lors de l'offensive israélienne contre la flottille humanitaire. Il aurait pu avoir un mot pour le million et demi de morts de l'Arménie.

C. M. – *À 86 ans, comment vous sentez-vous ?*

C. A. – J'ai parfois mal au dos, j'entends un peu moins bien et le soleil me heurte les yeux. Mais je mords encore dans les biftecks.

C. M. – *Pas d'artifices pour rajeunir ?*

C. A. – Pour quoi faire ? J'ai quelques implants, mais c'est différent. J'avais des peignes, il fallait bien les amortir !

C. M. – *Pensez-vous à vos adieux ?*

C. A. – Mais je suis déjà à la retraite : je ne fais plus qu'un ou deux galas par mois ! En fait, je vis comme s'il me restait mille ans. J'apprends tous les jours, tout m'intéresse.

C. M. – *Vous dites qu'au fond, nous sommes égaux devant le trou…*

C. A. – C'est vrai. Je me demande pourquoi on se donne tant de mal pour aller tous au même endroit. Je ne comprends pas ces artistes qui auraient fait n'importe quoi pour être connus et qui, ensuite, se cachent derrière des lunettes noires. Ils marchent à côté de leurs pompes et ne vivent pas leur vie.

C. M. – *Que faudra-t-il écrire sur votre stèle ?*

C. A. - Je n'ai pas encore trouvé mon épitaphe, mais ça viendra. Je ne suis pas pressé !

Charles Aznavour sur un voilier
(Saint-Tropez, 1950)

Au piano avec Enrico Macias et Sheila
lors de l'enregistrement d'une émission de Maritie et Gilbert Carpentier
(15 septembre 1973)

Charles et sa femme Ulla et un de leurs enfants à l'aéroport.
(1972)

Avec sa femme Ulla, sa fille Katia et son fils Misha devant leur chalet
(Crans-Montana, 13 janvier 1973)

En compagnie de Linda Lemay en concert à l'Olympia
(Paris, avril 2000)

Avec Line Renaud
(Paris, janvier 2001)

Avec Nana Mouskouri lors d'une soirée organisée pour la sortie d'un livre de Jean-Claude Brialy au *théatre des Bouffes Parisiens* (23 octobre 2006)

Entouré de Hafsia Herzi et Isabelle Huppert.
Cérémonie d'ouverture du *Festival de Cannes*
(13 mai 2009)

En duo avec sa fille Katia lors d'un concert à Erevan en Arménie
(30 septembre 2006)

Avec Katia sur le plateau de l'émission "*Vivement Dimanche*"
(3 septembre 2008)

Concert à Parme en Italie
(novembre 2009)

Charles Aznavour, Ambassadeur d'Arménie.
Conférence sur Haïti (Genève, 27 janvier 2010)

Inauguration du *Mémorial Khatchkar* commémorant le massacre des Arméniens au début du siècle dernier (Versailles, 30 mai 2010)

Avec Jean-Louis Auvergne, le responsable technique de son oliveraie de Mouriès en Provence (février 2010)

Au milieu de ses oliviers à Mouriès dans les Alpilles (février 2010)

Sur le divan de "*Vivement Dimanche*"
(Paris, 7 novembre 2012)

Entretien avec Charles Aznavour

Extraits de l'interview d'Oscar Caballero
Publiée dans Avanguardia.com, le 16 août 2010

Oscar Caballero est une des plus grandes plumes gastronomiques du monde hispanophone, pourtant son entretien avec Charles Aznavour ne tourne pas autour des plaisirs de la table… Il est vrai qu'à l'aube de ses 90 printemps, Charles avoue avoir levé le pied sur ses appétits d'épicurien, il ne prend plus qu'un repas par jour et, s'il s'autorise un doigt de vin, c'est seulement lors de soirées festives.

*
*   *

Oscar Caballero : – *Pourquoi Aznavour continue-t-il d'être actif ?*

Charles Aznavour : – Je refuse de baisser les bras. Autant se laisser aller ; la retraite est pour moi l'antichambre de la mort. Le travail et la curiosité tous azimuts sont indispensables à mon équilibre.

O. C. – *Vous avez débuté à 9 ans comme acteur au Studio des Champs-Élysées. Précocité naturelle dans une famille d'artistes, qui se confirma par des rôles aux théâtres Marigny, de la Madeleine, de l'Odéon. Avec Aïda, votre sœur pianiste, vous avez soutenu votre famille lorsque votre père, Misha Aznavourian, partit à la guerre en 1939. Acteur ou chanteur ?*

C. A. – Je me suis toujours considéré comme un acteur de théâtre, le fait de triompher comme chanteur fut une surprise, même pour moi. (...)

O. C. – *Vous avez triomphé, après avoir été démoli par la critique et souvent aussi par le public. Y a-t-il eu un moment où vous vous êtes dit que, peut-être, vous n'étiez pas doué ?*

C. A. – Je n'ai jamais douté de moi. Le doute c'est un venin destructeur. Je ne dis pas que, parfois, les difficultés ne me désespèrent pas. Mais comme je suis foncièrement optimiste, ce qui me faisait peur la nuit, je le surmontais au lever du soleil. Et d'autres fois en travaillant.

"Je suis plus auteur que chanteur ou acteur"

O. C. – *Aujourd'hui, avec une carrière remplie de succès dans la chanson, vous considérez-vous plus comme auteur, chanteur ou chanteur compositeur ?*

C. A. – Je suis plus auteur que chanteur ou acteur. Mais, sans ma façon de m'exprimer par la chanson, qui fut très critiquée et qui se base sur mon expérience en tant qu'acteur, le chanteur n'aurait pas eu la même carrière.

O. C. – *Vous avez déclaré : "Je n'écris pas pour vendre, mais j'ai accepté l'argent que je gagnais." Et aussi que vous auriez adoré faire des chansons à succès et populaires, mais qu'il fallait toujours de l'espace et du temps pour raconter une histoire.*

C. A. – Un métier est bien plus beau s'il te permet de bien manger. Je gagne de l'argent, je ne le vole pas et je n'ai jamais écrit pour vendre. Voilà pourquoi j'accepte tout naturellement l'argent que je gagne par mon travail.

O. C. – *Vos œuvres sont de mini-œuvres de théâtre et vous êtes l'auteur, l'acteur et le metteur en scène ?*

C. A. – En effet, je suis mon propre chef : je n'ai besoin de personne pour réaliser ma chanson. (...)

"En art, tout est métissage"

O. C. – *Un disque avec The Clayton Hamilton Jazz Orchestra, un album Jazznavour auparavant, témoignent de votre amour du jazz. Vous avez aussi parlé du klezmer : "ce swing avec des mélanges d'harmonies juives, russes, gitanes". Vous n'avez jamais pensé à le ressusciter avec un chanson ?*

C. A. – Le jazz et le tango ont été des rythmes très importants dans mes débuts d'auteur interprète, mais j'ai voulu ensuite explorer des thèmes et des rythmes moins acceptés par la critique et le public : plus littéraires parfois. Je ne voulais pas m'endormir sur mes succès populaires et j'ai pris des risques avec des thèmes rares dans notre discipline.

O. C. – *Vous dites qu'il faut des mélodies pour habiller vos chansons et votre chance fut de grandir entre les cultures gitane, russe, iranienne, arménienne et turque. En même temps, vous êtes typiquement parisien. Pensez-vous que ces musiques qu'on appelle populaires sont toujours métissées ?*

C. A. – En art tout est métissage : la musique, la peinture, la poésie, la sculpture ; l'autre, l'étranger, apporte énormément à la culture du pays d'accueil.

O. C. – *En 2009, avec : "À voix basse", vous avez complété votre autobiographie, commencée 39 ans plus tôt avec : "Aznavour par Aznavour", puis prolongée par les récits de fiction : "Mon père, ce géant". Justement, pourquoi avoir attendu si longtemps avant de publier vos premières "nouvelles", alors que l'écriture a toujours été pour vous une de vos raisons d'exister ?*

C. A. – *Aznavour par Aznavour* fut un livre dicté par moi, mais écrit par un nègre littéraire. Mon premier véritable ouvrage autobiographique fut *Le Temps des avants,* pour lequel on me donna le prix réservé aux autobiographies écrites effectivement par le personnage principal. Jusque-là, je doutais de mes possibilités d'auteur de longue haleine. Mais je n'ai pas cessé d'écrire depuis.

"On ne m'a jamais fait sentir que j'étais un fils d'immigré"

O. C. – *Apatride, immigré, une vie compliquée durant des années et néanmoins votre livre est très optimiste. Est-ce le travail, les voyages, l'hérédité ? Qu'est-ce qui a fait que vous soyez aussi philosophe ?*

C. A. – Quand je me réveille chaque matin, je rends grâce au destin pour m'avoir réveillé. Je n'ai pas à me plaindre. Optimiste oui, bien sûr, et pourquoi ne le serais-je pas ? Je suis né dans un beau pays, bercé par deux cultures également riches. J'ai eu des parents merveilleux qui m'ont enseigné mille choses de la culture d'autres civilisations. Et une sœur, Aïda, un véritable talent musical qui a eu la générosité d'abandonner sa carrière de pianiste pour gérer celle de son mari, le compositeur Georges Garvarentz, et la mienne. Depuis ma naissance, j'ai vécu dans un pays de liberté, civilisé, enrichissant sur le plan artistique. On ne m'a jamais fait sentir que j'étais un fils d'immigré. Que puis-je demander de plus à la vie ?

O. C. – *Vous avez récemment écrit des chansons pour Grand Corps Malade, pour Liane Foly ; vous faites l'éloge de Benjamin Biolay, de SanSeverino, d'Olivia Ruiz. Vous savez qu'il n'est pas très habituel de voir un chanteur âgé avec autant de triomphes et aussi attentif à la jeunesse ?*

C. A. – Dans mes débuts, pour survivre, j'ai été comme un tailleur : auteur sur mesure pour étoiles de la chanson. Dans chaque spectacle, ces étoiles chantaient au moins deux de mes chansons. Aujourd'hui, je suis capable de le faire et c'est pourquoi je me sens très proche des jeunes dans mon domaine. Je n'ai pas oublié mes années de pénurie, ni l'indifférence des célébrités d'alors.

"La chanson française est unique"

O. C. – *Dans le même ordre d'idées, vous qui parlez toujours d'Édith Piaf comme d'un modèle, qui avez découvert très jeune Charles Trenet, croyez-vous que la chanson existe encore ?*

C. A. – La chanson française est unique. Voilà pourquoi, même à l'étranger, on emploie le mot français pour la définir. C'est l'œuvre de Français tels que Léo Ferré, Georges Brassens, Charles Trenet… Mais aussi de francophones arrivés d'ailleurs : Jacques Brel, Guy Béart, Georges Moustaki, Linda Lemay… C'est-à-dire Belges, Libanais, Grecs, Canadiens du Québec. Des gens de culture française. L'Espagne possède son flamenco, le Portugal son fado, les États-Unis le blues… et nous, la chanson.

O. C. – *Vous dites que le véritable patrimoine de la France c'est "l'amour des mots et des lettres, puisque, pour tout ce qui concerne le rythme, la France n'a rien inventé, elle a toujours utilisé les rythmes des autres". Quelles seraient les influences d'ailleurs qui ont construit la chanson ?*

C. A. – Soyons précis : ce ne sont pas les influences qui ont construit la chanson. La chanson s'est servie de ces rythmes pour mieux exprimer sa façon particulière d'écrire des textes, pour en souligner la poésie.

O. C. – *En 1946, Édith Piaf vous emmène, vous et Pierre Roche, aux États-Unis. Vous découvrez et vous êtes découvert. Vous vous êtes récemment produit à New York, en français, et ce fut un triomphe. Quelle est votre vision du public américain ?*

C. A. – C'est un public réceptif, curieux de ce qui se fait ailleurs et qui entre dans une salle de spectacle pour se divertir ; sans esprit critique. À la fin du spectacle, ça lui plaît ou ça ne lui plaît pas, mais ça s'arrête là.

O. C. – *Et les différents publics en Espagne ?*

C. A. – Je ne connais pas vraiment le public espagnol. C'est le pays où j'ai le moins chanté, quoique je possède un répertoire en espagnol très apprécié dans les pays de langue castillane.

O. C. – *En 1995, vous avez acheté les éditions musicales Raoul Breton avec leur fonds impressionnant de chansons. Vous l'avez fait pour sauver un patrimoine ?*

C. A. – En effet, je l'ai fait sans penser nullement à ce que cela pouvait m'apporter d'un point de vue économique.

"Un ambassadeur est tenu au devoir de réserve..."

O. C. – *Vous êtes ambassadeur d'Arménie en Suisse, une charge que vous avez longtemps déclinée. Pourquoi avez-vous finalement accepté ? Est-ce une conséquence du séisme de 1988 ?*

C. A. – Je jouis d'une image importante dans le monde, qui peut être utile au pays de mes ancêtres. Et comme il est impossible que surgisse un problème territorial ou politique entre l'Arménie et la Suisse, ma tâche est bien plus simple.

O. C. – *Comment travaillez-vous, Monsieur l'ambassadeur ?*

C. A. – Je fais ce que je peux. Ce n'est pas toujours facile, mais je me débrouille...

O. C. – *Est-il vrai que vous tutoyez le Président de l'Arménie, Serge Sargsian, que vous avez sorti de prison, et que vous mettez à profit cette confiance pour lui parler franchement de ce qui va mal en Arménie ?*

C. A. – Je ne l'ai pas sorti de prison. J'ai seulement collaboré pour que le comité Karabagh, dont faisait partie l'actuel Président et qui se trouvait en prison, soit libéré. Mes conversations avec lui sont celles d'un ambassadeur avec son Président.

O. C. – *Dans le même ordre d'idées, lorsqu'on vous interroge sur la France, vous vous montrez préoccupé par l'isolement des politiques, y compris le Président, face aux "jeunes qui se révoltent parce qu'on ne s'intéresse pas à eux". Vous, à qui Missak Manouchian apprit à jouer aux échecs, que pensez-vous des politiques européennes sur l'immigration ?*

C. A. – Un ambassadeur est tenu au devoir de réserve. Je ne peux répondre à aucune question qui traite de politique. (...)

Traduction de l'espagnol : Georges Festa et Jorge Lozano

Aznavour vu par sa fille, Katia

Extraits de l'interview de "Rue Frontenac",
Publiée le 9 octobre 2010

C'est la semaine prochaine que s'amorceront les représentations de la comédie musicale: *Je m'voyais déjà*, reposant sur l'œuvre de Charles Aznavour. Présenté en France, il y a deux ans, ce spectacle traverse l'Atlantique avec les mêmes grandes chansons, mais sera proposé dans une version adaptée pour le marché québécois. L'instigatrice et directrice artistique de ce projet, Katia Aznavour, s'est confiée à Philippe Rezzonico.

*
* *

Au bout du fil, depuis la France, la voix de Katia Aznavour résonne aussi franche et nette que lorsqu'on l'entend sur scène en compagnie de son père, que ce soit pour les relances de *Mes emmerdes*, la mélodie aérienne de *À ma fille*, les chœurs de *Il faut savoir*, ou lorsqu'elle interprète *Je voyage*, en duo avec lui.

Il y a bien longtemps que la fille d'Aznavour occupe le flanc gauche de la scène (du point de vue des spectateurs) aux côtés de Claude Lombard, l'autre choriste du grand Charles, mais pour *Je m'voyais déjà*, elle porte un tout autre chapeau : celle de directrice artistique.

Philippe Rezzonico : – *Comment est née la genèse de ce projet ?*

Katia Aznavour : – L'idée m'est venue, il y a quelques années, à la sortie de *Mamma Mia !* Quand tu vas voir des comédies musicales, ça donne toujours des idées. En sortant, je me suis dit : Pourquoi pas une comédie musicale avec les chansons de mon père ?

P. R. – *Je présume qu'après avoir eu cette idée, vous avez été lui en parler avant de chercher un producteur ?*

K. A. – La première chose que j'ai faite, c'est, bien sûr, d'en parler à mon père. Et il a dit : Oui, bien sûr. Après, j'ai contacté Laurent Ruquier et toutes les personnes qui se sont greffées, peu à peu, à ce projet. Toutes, d'ailleurs, assez enthousiastes à l'idée, au départ.

P. R. – *Qu'on le désigne comme étant une comédie musicale, un spectacle de variétés ou autrement, il est plutôt courant de voir ce genre d'hommage survenir après le départ des artistes, la dissolution d'un groupe ou la retraite définitive de ce dernier, ce qui fut le cas pour Elvis, les Beatles, Abba, etc. Ici, non seulement Charles Aznavour, a toujours bon pied bon œil, mais il est encore très actif sur scène, comme on l'a vu l'an dernier au Mondial choral de Laval.*

K. A. – Je n'aime pas trop l'idée d'attendre la mort de quelqu'un avant de faire quelque chose avec son œuvre. Dans ce cas, mon père est toujours là et j'avoue que je voulais qu'il voie ce spectacle et qu'il me dise ce qu'il en pense.

P. R. – *La distribution de "Je m'voyais déjà", tant en France qu'au Québec, est plutôt jeune. On avait vu un peu la même chose le 22 mai 2004, au Palais des Congrès de Paris, en assistant au spectacle offert pour les 80 ans de Charles Aznavour. Ce soir-là, une foule de jeunes artistes (Vanessa Paradis, Nolween Leroy, Dany Brillant, Stomy Bugsy, Isabelle Boulay, Corneille) avaient interprété les chansons d'Aznavour pour lui et avec lui.*

K. A. – A priori, c'est une idée de départ d'Alain Sachs (metteur en scène et scénographe) de mettre en vedette des jeunes. Et ce n'est pas une mauvaise idée, parce que ça mène à un autre aspect : ça rajeunit les chansons.

Je me suis beaucoup impliquée, lors des auditions, en début d'année. On veut respecter le livret, tout en gardant un côté classique. Mais on ne veut pas se priver d'originalité pour les arrangements. Pour le spectacle au Québec, les arrangements ont été quelque peu modifiés. Je ne sais comment dire… C'est encore plus groove, plus rock.

P. R. – *Aznavour en rock ? Comme lorsque Pascal Obispo a repris : "Les plaisirs démodés" en version pas loin du métal lors du show du 80ᵉ anniversaire ?*

K. A. – *Les plaisirs démodés*, c'est une chanson rock ! (petit rire) du moins, yé-yé, dans sa forme originale, même si ça fait longtemps qu'on ne la fait plus sur scène dans cette forme-là.

P. R. – *En effet, il faut remonter aux années 1970. Peut-être devriez-vous proposer à votre père de la refaire ainsi dans un spectacle à venir… À qui s'adresse "Je m'voyais déjà" ? Aux* *fans de longue date d'Aznavour, à ses puristes, à un public qui ne connaît que les grands succès, ou à des gens qui veulent simplement aller voir un bon spectacle qui va leur faire oublier leurs soucis de la vie quotidienne ?*

K. A. – Franchement, je n'avais pas trop d'idées sur cette question quand on a créé la comédie musicale, et je ne savais pas comment le public allait réagir. Le spectacle a attiré toutes sortes de gens, bien sûr, a priori, des fans de Charles Aznavour, mais aussi beaucoup de jeunes.

P. R. – *On en voit de plus en plus dans les spectacles de votre père.*

K. A. – Il n'y en a jamais tant eu. J'en vois beaucoup plus qu'il y a 20 ans dans ses spectacles. Maintenant, des jeunes viennent le voir et de jeunes artistes enregistrent ses chansons. L'aspect intemporel et universel des titres de mon père y est pour beaucoup.

P. R. – Cette fois, vous êtes la directrice artistique, mais avant, vous étiez au service de votre père, comme choriste…

K. A. – Au début, il fallait s'accrocher. Mon père m'a dit : *Je te prends à l'essai* et il m'a fait passer une audition. Je m'étais préparée à fond, même si je connaissais bien ses chansons. Après les débuts, petit à petit, ça allait de mieux en mieux. Je me suis bien intégrée à son spectacle et c'est devenu vraiment intéressant par la suite.

P. R. – *Votre présence sur les planches, à ses côtés, a-t-elle changé votre perspective de l'œuvre de votre père ?*

K. A. – Quand on est sur scène, on est à l'affût des changements d'arrangements et à une foule de détails. C'est une très bonne école.

P. R. – *Quiconque a vu Charles Aznavour sur scène a noté à quel point il est comme un poisson dans l'eau lorsqu'il foule les planches, même s'il le fait depuis maintenant depuis sept décennies…*

K. A. – Oui, il est vraiment heureux sur scène. À un moment, il avait laissé entendre qu'il allait raccrocher, mais je ne crois pas qu'il va jamais le faire. Quand il est à la maison, il passe des heures dans son studio à écrire au piano. Des fois, il dit : *J'en peux plus, je suis fatigué, ça suffit ! et* puis on apprend qu'il prépare un autre spectacle. La musique et la scène : c'est sa vie, son moteur, sa passion.

P. R. – *Une question piège pour terminer : quelle est votre chanson préférée ainsi que la chanson la mieux écrite d'Aznavour, selon vous ?*

K. A. – Ma préférée ? Spontanément : *Sur ma vie.* Je ne sais pas pourquoi, mais cette chanson m'a toujours fait quelque chose. À un autre moment, je répondrais peut-être autre chose, remarquez. J'ai aussi beaucoup d'affection pour *Une vie d'amour,* une chanson qu'il chante souvent lorsqu'il va en Russie.

La mieux réussie ? Moi, je ne vois pas de différence. Mais lui, il peut vous dire que c'est cette chanson plutôt que cette chanson, parce qu'elle est mieux structurée que celle-là, parce qu'il y a pas d'élision ou quelque chose du genre, conclut-elle avec son rire charmant.

La comédie musicale : *Je m'voyais déjà* a été jouée au *Théâtre du Gymnase* à Paris, du 2 octobre 2008 au 4 janvier 2009. La générale a eu lieu, en présence de Charles Aznavour, le 13 octobre 2008. Elle a été prolongée, à partir du 12 février 2009, au *Théâtre Comédia*, avant de partir en tournée en province, en Belgique, en Suisse et au Canada.

Ce spectacle, dont le livret est de Laurent Ruquier a été nommé aux *Globes de Cristal 2009*, dans la catégorie *Meilleure comédie musicale*.

Le pitch : Comme Charles Aznavour à ses débuts, six jeunes artistes, rejetés une énième fois d'un casting sans qu'on leur dise pourquoi, décident eux aussi de se battre, avec l'aide d'une chanteuse un peu oubliée, interprétée par Diane Tell, qui rêve d'une seconde chance.

Dans la grande tradition de *Chorus Line*, *Je m'voyais déjà* est une comédie musicale drôle et émouvante qui raconte la création d'une comédie musicale. Une histoire dans l'histoire, portée par de nombreux succès de Charles Aznavour.

Mises au point !

Extraits des propos de Charles Aznavour
publiés par le "Le mauricien. com",
le 5 septembre 2011

Le dernier monstre sacré de la chanson française, Charles Aznavour, entamera le 7 septembre un récital d'un mois avant de partir une nouvelle fois en tournée. Mais ne lui dites pas que ce sera la dernière : *"Je n'ai jamais, jamais prononcé le mot adieux !"*, assure-t-il.

*

* *

– *Certains médias racontent n'importe quoi ! J'ai dit que j'allais faire une de mes dernières tournées. Quand Martin Scorsese présente son dernier film, on ne dit pas qu'il ne va plus en faire ensuite. Alors, on parle français ou pas ?* s'emporte le chanteur.

Charles Aznavour avoue aborder ce marathon – sa prestation à l'Olympia sera suivie d'une vingtaine de dates en province – pas dans le trac, mais dans l'angoisse.

– Le trac, je l'avais au début quand le public ne venait pas pour moi, mais dès qu'il a commencé à venir pour moi, je l'ai éliminé, confie-t-il. En revanche, l'angoisse, c'est une question de mise en place, de chansons. Est-ce que j'ai eu raison de faire ceci ? Est-ce que ce n'est pas une rentrée de trop ?, explique-t-il.

Charles Aznavour est conscient de ne plus être en mesure de "*faire un tour de chant comme auparavant*" et reconnaît, sans gêne, qu'il va adapter son jeu de scène aux contraintes que lui imposent son âge.

– Si j'ai besoin de m'asseoir, je vais m'asseoir, si j'ai besoin de chanter debout, je chanterai debout. Ça ne veut pas dire que je suis impotent, mais il faut vivre avec son âge, dit-il. *De même, j'ai de moins en moins de mémoire, alors je vais dire au public la vérité : j'aurai probablement un prompteur quelque part*, poursuit le chanteur. *Je ne complique pas les choses, car le public n'est pas compliqué. Je lui ai tout dit jusqu'ici, y compris quand je me suis fait planter des cheveux*, sourit-il.
(...)

– On m'a souvent demandé si je pensais à une femme quand j'écrivais. Non, je pense à la beauté du texte d'abord et le sujet vient par lui-même, explique-t-il, *disant s'inspirer aussi bien de mots qu'il ne connaît pas que d'expressions "qu'on emploie tous les jours sans s'en rendre compte comme "Hier encore" ou "Tu t'laisses aller".*

Je dois tout à la littérature française, je lis énormément, j'achète énormément de livres et des beaux livres car j'aime que ma main touche quelque chose d'aussi beau que ce que mon œil voit", raconte Aznavour.

Sur sa table de chevet se trouvent en ce moment "*Maudit*

soit Dostoïevski", d'Atiq Rahimi, de la littérature turque et *Une touche de Bible, de Coran et d'aphorismes.*

D'origine arménienne, "le grand Charles", lancé par la chanteuse Édith Piaf, a vendu plus de cent millions de disques dans le monde. Il est aujourd'hui ambassadeur d'Arménie en Suisse.

Pour son récital, il a choisi "*des nouvelles chansons, des anciennes, des très anciennes et les incontournables*". Comment fait-il le choix ?

– Là par exemple, j'ai un nouveau musicien qui joue du duduk, un très bel instrument typiquement arménien mais injouable. Alors je vais chanter "Qu'avons-nous fait de nos 20 ans ?", une chanson que j'avais enregistrée avec du duduk, mais que je n'avais jamais pu jouer sur scène", s'enthousiame-t-il.

Je suis comme tous les artistes, j'aime faire des choses que les autres ne font pas : jouer au Hollywood Bowl à Los Angeles, au Kremlin, place Saint-Marc à Venise… Ca, ça m'amuse follement. À mon âge, je me dis que je n'empêche pas les autres de le faire. Au contraire, je crois que j'ouvre une porte.

Je ne suis pas Frank Sinatra !

Extraits de l'entretien avec le Journal
"France Amérique"
Publié le 9 avril 2012

À quelques jours d'une série de concerts qui l'emmèneront de Montréal à New York, en passant par Québec et Los Angeles, Gaëtan Mathieu a rencontré Charles Aznavour pour *France Amérique*, le jounal français des États-Unis.

*
* *

À l'évocation de son surnom aux États-Unis : *The French Frank Sinatra*, Charles Aznavour lève les yeux au ciel et soupire.

– *Il chantait les chansons des autres ! Pas moi. Je ne sous-entends pas que c'est une honte d'être comparé à Sinatra, au contraire, mais cette association entre nous est fausse*, précise-t-il.

Plus célèbre aux États-Unis que Serge Gainsbourg ou Jacques Dutronc, Charles Aznavour sait qu'il doit cette reconnaissance à sa collaboration avec Édith Piaf. Les deux chanteurs français ont fait leur premier concert ensemble aux États-Unis, en 1946. Édith Piaf, alors au pic de sa carrière, prend sous son aile le jeune Charles.

– Nous avons fait un concert à New York, au café Society, au sud de Manhattan. Je me souviens que c'était la première salle qui autorisait les chanteurs noirs à se produire. Ils nous ont engagés pour une ou deux semaines, mais on est resté cinq semaines tellement Édith avait du succès.

Après ce bref séjour aux États-Unis, c'est au Québec que les deux monstres sacrés de la chanson française se produiront, pendant presque trois ans. 66 ans plus tard, Charles Aznavour entame une nouvelle tournée nord-américaine qui l'emmènera à Montréal, Québec, Los Angeles et New York. Mais pourquoi voyage-t-il tant, alors qu'il pourrait se contenter de faire des albums ? Le chanteur ne peut s'empêcher de sourire...

– Vous voulez dire "à mon âge, pourquoi je fais une tournée" ? Mais parce que j'adore vivre ! Je ne ferai jamais une "dernière tournée".

S'il n'a pas encore décidé quelle chanson il interprétera, Charles Aznavour entend bien s'adapter à son public.

– Je sais qu'à New York, il y a des Arméniens et aussi une forte communauté espagnole. Donc je vais sûrement chanter dans ces deux langues. Mais je n'oublierai pas les classiques évidemment.

Charles Aznavour, 87 ans, assure que sa carrière n'est pas finie.

– Je chante moins, donc j'ai beaucoup de temps pour écrire.

Et quand on lui demande qui a pris sa relève dans la chanson française, il répond, modeste :

– Je ne crois pas en la postérité. La musique change. Je ne pense pas avoir une influence quelconque sur les artistes d'aujourd'hui. Ou alors peut-être sur la manière de mener une longue carrière. Mais jamais je ne donnerai de conseils. J'ai beaucoup appris d'Édith en la regardant, en la suivant. Mais jamais je ne l'ai entendue dire : "Charles, voilà ce qu'il faut faire..."

Mes chansons me ressemblent physiquement

Extraits de l'interview de "Nice Matin"
Publiée le 1er septembre 2013

Auréolé du titre *d'Artiste de variété du siècle,* décerné, après un vote planétaire, par le magazine *Times,* Aznavour n'aime pas la hauteur du piédestal. Il reste ce petit homme au regard noir et au sourire en coin, qui en dit toujours très long sur ce qu'il pense. Parce que ses chansons sont autant de confidences glissées au creux de l'oreille, il donne le sentiment d'avoir accompagné notre vie, comme un vieux copain de route.

*
* *

Nice Matin : – *Comment résumer une carrière de chanteur qui, partie des cinémas de quartier pour meubler les entractes, aboutit à un public de 6 000 new-yorkais à ses pieds ?*

Charles Aznavour : – Par un seul mot : travail.

N. M. – *Artiste du siècle pour les Américains : Barack Obama vous connaît, au moins ?*

C. A. – Le couple Clinton, oui. Il est venu à mon spectacle et m'a invité à la Maison Blanche. Pour Barack Obama, c'est peut-être un peu tôt. Patientons jusqu'à la fin de son deuxième mandat...

N. M. – *Vous n'avez pas le brevet élémentaire et vous êtes Docteur honoris causa de trois Universités dans le monde...*

C. A. – Bientôt quatre, avec *l'University of California* de Los Angeles. La première fois, j'ai été ému, la deuxième étonné. Depuis, je trouve ça drôle qu'on honore ainsi des illettrés.

N. M. – *Illettrés ??!!*

C. A. – Il vaut mieux avoir le sens de l'humour que la grosse tête...

N. M. – *Vous n'avez pas la nostalgie des années de galère ?*

C. A. – Non, il ne faut pas exagérer. Comme on dit, si c'était à refaire, je referais le même chemin, à quelques différences près. J'éviterais certaines rencontres et j'en approfondirais d'autres.

N. M. – *Votre cour, dites-vous, c'était les rois des pique-assiette et les reines de la brosse à reluire : tous les parasites se reconnaîtront ?*

C. A. – Ils ont été éliminés depuis longtemps et je leur ai consacré une chanson, *Mon ami, mon judas*. Ils ont disparu de la circulation, pas même assez malins pour se reclasser ailleurs.

N. M. – *Plus encore que d'être sorti de la pauvreté, votre fierté n'est pas, finalement, d'avoir déjoué les pronostics de tous les critiques ?*

C. A. – Ils m'ont plutôt amusé, et ils sont tous partis à la retraite, bien avant moi. Et je ne suis pas rancunier…

N. M. – *Quelle a été la critique la plus blessante ?*

C. A. – Un jour, sur les ondes de *Radio Luxembourg*, ils se sont mis à deux pour expliquer que tout ce que j'étais capable de présenter sur scène, c'était une infirmité.

N. M. – *Justement, avec vingt centimètres de plus et une gueule de jeune premier, votre carrière aurait été différente ?*

C. A. – Absolument. J'ai écrit comme un tailleur coupe le costume pour son client, des chansons qui me ressemblaient physiquement. Si j'avais été différent, le physique ne m'aurait aidé qu'un temps. N'est pas Julio Iglesias qui veut. Si j'avais été aussi séducteur que lui, nous aurions peut-être été concurrents, qui sait ?...

N. M. – *On vit une époque où il ne faut pas forcément de talent pour réussir…*

C. A. – La faute à la télévision. *Star Academy* ne devrait pas être autre chose qu'une bonne émission de variété, pas une usine à fabriquer des notoriétés éphémères. Où sont les stars ? Ce sont encore ceux qui n'ont pas gagné qui s'en sortent le mieux. Toutes ces écoles de formatage tuent l'essentiel, les personnalités et les défauts qui sont souvent des qualités. Quelle aurait été la carrière d'un Darry Cowl s'il n'avait pas bégayé ?

N. M. – *On peut donc être dans le coup à 85 ans et has been à 20 ?*

C. A. – C'est beaucoup moins une question d'âge qu'une question de courage et d'humilité.

N. M. – *Comment être habité par une foi intacte lorsqu'on entre pour la 5 000e fois en scène ?*

C. A. – Chaque soir est un soir de première. Le public change, le tour de chant est différent. Seuls ceux qui chantent en play-back peuvent éventuellement finir par éprouver un peu de lassitude…

N. M. – *Jusqu'à quand va durer votre histoire d'amour avec le public ?*

C. A. – Je me le demande. Je pense avoir fait suffisamment de scène. Il est temps de me retirer. Mais ce n'est pas facile. Je compose une, deux, trois nouvelles chansons, et c'est reparti. Je suis comme l'enfant enthousiaste à l'idée de montrer son jouet de Noël à tout le monde.

N. M. – *Comment rêvez-vous de finir votre carrière ?*

C. A. – Je rêve souvent que je n'ai plus de public, que je chante devant une salle vide. J'espère qu'il n'est pas prémonitoire.

N. M. – *Combien de chansons encore en gestation ?*

C. A. – J'ai déjà composé les douze titres de mon prochain album, alors que le dernier n'est pas encore sorti !

N. M. – *Votre carrière a été prédatrice : n'avez-vous pas le sentiment d'être passé à côté de toute une vie, la famille, les amis ?*

C. A. – On passe toujours à côté de sa famille. La femme s'occupe des enfants, elle est sacrifiée, mais il est inutile d'avoir des regrets.

N. M. – *Vous en dites très peu sur votre vie sentimentale, sinon que vous faites chambre à part…*

C. A. – L'humilité et la pudeur rendent plus heureux

qu'une présence graveleuse dans les magazines. Les femmes sont plus attirantes quand on les déshabille avec les yeux plutôt qu'avec les mains. Et on est plus beau, plus net, quand on retrouve sa femme, elle aussi en beauté, au petit-déjeuner. Faire chambre à part donne au couple l'envie sensuelle, de rester soudé.

N. M. – *Auriez-vous écrit ce livre pour éviter une biographie posthume qui vous aurait déplu ?*

C. A. – Non, mais on n'aura plus grand-chose à dire à mon sujet. J'ai mené une vie très simple, j'ai eu certes quelques aventures comme tous les hommes, mais je peux les évoquer, car je sais que les intéressées ne seront pas embêtées…

N. M. – *Le traité signé entre la Turquie et l'Arménie vous donne de l'espoir ?*

C. A. – Où se situe le curseur de la sincérité des Turcs qui aspirent à entrer dans l'Europe ? J'espère seulement que ce n'est pas comme dans un tango, un pas en avant deux pas en arrière.

N. M. – *Pourriez-vous aller jusqu'au pardon ?*

C. A. – Oui, pardonner n'est pas oublier. Mais consentir le pardon à qui ? Les auteurs du génocide sont morts depuis plusieurs générations, raison de plus, d'ailleurs, pour que la Turquie accepte enfin de le reconnaître.

N. M. – *Vous voulez être enterré en Arménie ?*

C. A. – Ma terre est française. J'ai fait construire un petit caveau dans un cloître du 12e siècle de ma commune, Montfort-l'Amaury dans les Yvelines.

N. M. – *Vous croyez en Dieu ?*

C. A. – Un jour oui, un jour non. Et le jour où je ne crois pas, je doute sérieusement. Qui mourra verra. Mais je suis très respectueux des religions. Par mes parents, j'appartiens à l'église grégorienne qui place les valeurs morales au-dessus de tout. Lorsque vous vous confessez, le prêtre énumère tous les péchés et, à la fin, vous en reconnaissez un ou plusieurs sans lui préciser lesquels. Lui n'est qu'un intermédiaire, c'est une affaire entre Dieu et vous. Et chez nous, les curés sont mariés et ils comprennent ainsi beaucoup mieux les gens auxquels ils s'adressent. Chez les catholiques aussi, il faudra bien y venir.

N. M. – *Vous avez peur de mourir ?*

C. A. – Je crains surtout de ne plus vivre.

N. M. – *Quelle épitaphe imaginez-vous ?*

C. A. – Ci-gît l'homme le plus vieux du cimetière. Ça ne me déplairait pas !

Demain encore…

Extraits de l'interview de Paris-Match
Publiée le 12 septembre 2013

À l'aube de ses 90 ans, le chanteur s'amuse à présenter : *Hier encore*[3], une émission sur *France* 2. L'émission est enregistrée à *l'Olympia* où une pléiade d'artistes participent. Ils chantent des chansons qui ne sont pas de leur répertoire mais des chansons qui font la culture française. Entre les chansons Charles Aznavour raconte des anecdotes et ses souvenirs qu'il a eu avec Gilbert Bécaud, Piaf et tant d'autres.

*

* *

Paris-Match : – *Est-ce sérieux de commencer une carrière d'animateur télé à 89 ans ?*

Charles Aznavour : – Oh ?! je ne me sens pas animateur télé. Cette émission, c'est la prise de conscience qu'en chansons nous perdons notre patrimoine. Je ne sais pas

[3] Hier encore…, divertissement présenté par Charles Aznavour et Virginie Guilhaume. Première émission le 29 septembre 2012. Deuxième émission : le 2 mars 2013. Troisième émission : le 14 septembre 2013, à 20 h 35, sur France 2.

si c'est le cas chez les autres, les écrivains, les peintres, les sculpteurs, mais chez nous, les parents cherchent tellement à rester jeunes qu'ils oublient de transmettre leur passé à la jeunesse.

P. M. – *Avez-vous été surpris par le succès des premiers numéros ?*

C. A. – Non, car les Français sont nostalgiques mais ne le savent pas. Ils préfèrent penser qu'ils sont malheureux. Ils font l'amalgame entre malheur et nostalgie. C'est ce qu'on appelle "une mélancolie". Avec *Hier encore,* nous interprétons les chansons d'une manière populaire ; on chante en chœur, c'est une bonne chose, surtout face à des gens que l'on appelle pour des concours et qui finissent par penser qu'ils sont des professionnels. Ce n'est pas parce qu'on a du succès à la première communion du petit que l'on remplace Piaf.

P. M. – *Vous déplorez l'existence de : "The Voice", de "Nouvelle Star" ?*

C. A. – Non, je ne les déplore pas, mais je remarque que ce sont souvent les perdants qui en ont émergé. Ceux qui ont pris conscience que la musique, c'est un travail avant tout.

P. M. – *À vos débuts, vous êtes passé par le même type de parcours avec les radio-crochets.*

C. A. – Je faisais surtout des crochets dans les bistrots, tout comme Bourvil. Et cela a été formateur pour moi. Tout comme l'a été ma famille ainsi que la méthode Stanislavski. Même si je n'ai été que très peu comédien…

(...)

P. M. – *Pourquoi avez-vous toujours envie d'aller chanter ?*

C. A. – Je suis un aventurier ! Aujourd'hui, on ne découvre plus rien, alors je voyage pour moi-même avant tout. Les gens ne partent plus, les artistes ne bougent pas. Avant, on partait à l'aventure pour chanter dans des boîtes ou des restaurants, c'est comme ça que je me suis retrouvé en Espagne ou au Portugal. Il faut prendre des risques, aller vers des publics qui ne sont pas les nôtres.

P. M. – *Où ne vous êtes-vous pas encore produit ?*

C. A. – En Turquie, à cause du différend entre la Turquie et l'Arménie. Mais je vais y aller, j'ai des contacts avec des écrivains, des journalistes. Le défaut des gouvernements turcs, c'est d'écarter le problème arménien. On parle de "problème arménien", mais il s'agit en fait du problème turc. En allant chanter là-bas, je sais que je peux aussi bien déranger un Turc qu'un Arménien. Mais je suis un homme à l'esprit et au cœur ouverts. J'aimerais, quand je les rencontre, qu'ils aient la même mentalité. Je ne dirai jamais non à la Turquie car c'est la patrie de ma mère.

P. M. – *L'an prochain vous fêterez vos 90 ans. Allez-vous les célébrer sur scène ?*

C. A. – Je n'en sais rien, d'autant que ce genre de célébration m'ennuie. On a tellement annoncé que je me retirais… Ce qui est faux. Ce sont les promoteurs, qui ont peur de ne pas faire la recette qui disent ? : "Il fait ses adieux." Moi, je n'abandonne pas, je continue. Normalement je chante à Paris tous les trois ans. Donc ce pourrait être l'an prochain. Mais je ne veux pas que les gens viennent en se disant que c'est la dernière fois. Si je meurs, je meurs, ça ne regarde personne.

P. M. – *Avez-vous des projets de disque ? On parlait d'un album autour de musiques inédites de Gilbert Bécaud.*

C. A. – On m'a donné du matériel inédit composé par Bécaud et moi-même. Mais je chante et Bécaud est seulement au piano. Je ne vais pas sortir un disque en 2014 avec Bécaud comme pianiste.

P. M. – *On célèbre Piaf en ce moment. Que retenez-vous d'elle ?*

C. A. – Piaf, c'est l'une des plus grandes époques de ma vie. J'ai appris énormément de choses à travers elle ; des choses à faire, d'autres à ne pas faire. J'ai arrêté de boire, de fumer, notamment, car je voyais des personnes importantes se détériorer. Je l'ai surtout vue dans sa vérité avec le public : elle était d'une honnêteté incroyable. J'ai gardé ça.

(...)

P. M. – *Chantez-vous avec la conscience que c'est peut-être la dernière fois ?*

C. A. – Non, je chante comme dans les années 1950. Je préviens le public que ma voix n'est plus ce qu'elle était, que j'ai un prompteur… Ça fait sourire. La seule chose que je ne fais plus, c'est danser… Mais je cherche à garder une attitude gracieuse.

P. M. – *Qu'est-ce qui vous fait encore pleurer ?*

C. A. – L'âge ramollit les sensations, je pleure bien plus que dans ma jeunesse… Je peux être sensible à un livre, à un film, à une situation. Même si j'ai les pieds sur terre, j'ai une part de poésie. Je suis poète et paysan, grâce à mes oliviers ! C'est un tel bonheur de me promener le matin au milieu de mes arbres…

P. M. – *Vous vivez toute l'année dans le Sud, désormais ?*

C. A. – Ah non, je fais attention, je ne veux plus qu'on m'emmerde ! J'ai le droit d'être en France six mois et trois jours par an. Je ne dépasse jamais ! J'y reste quatre mois peut-être, guère plus. À Paris, je descends à l'hôtel, j'ai tout vendu pour mes enfants. Je préfère leur laisser de l'argent plutôt que des maisons ou des appartements qui vont leur coûter après ma mort. Sans moi, ils n'auraient pas osé vendre "la maison de papa". J'ai tout dégagé.

P. M. – *Vous n'êtes pas nostalgique des lieux ?*

C. A. – Si, bien sûr, mais je suis plus attaché à ma famille. Il faut faire des choix, des sacrifices.

P. M. – *En 2012, vous aviez soutenu Nicolas Sarkozy. Trouvez-vous que la France va mieux depuis l'arrivée de François Hollande ?*

C. A. – Je n'en sais rien. À partir du moment où François Hollande a été élu, il est devenu mon président. Alors, je ne m'attends pas, contrairement à certains socialistes, à ce qu'il se casse la gueule. Parce que s'il se casse la gueule, c'est la France qui tombe. Et ce n'est dans l'intérêt de personne.

P. M. – *Quels sont vos projets pour les dix prochaines années ?*

C. A. – Je ne peux vous parler que de ceux pour l'année à venir. D'abord, je terminerai le troisième volet de mon bouquin d'ici à la fin de l'année. Ensuite, j'ai un livre de pensées qui devrait sortir. Après, je voudrais écrire une comédie musicale pour Michel Leeb. Et, pour finir, j'ai commencé un roman, mon premier. Je ne le publierai que si je l'aime. Vous savez, la leçon de ce métier c'est qu'il faut avoir beaucoup de pudeur et d'humilité. Moi, je suis un homme humble. Mais ça ne veut pas dire que je n'ai pas conscience de ce que je suis.

Charles Aznavour parle de Charles Trenet

Extraits de l'interview de "L'indépendant"
Publiée le 20 août 2013

Charles Aznavour a été un grand ami de Charles Trenet. Il a interprété cinq titres de ses chansons à Narbonne, le 21 août 2013, à l'occasion du centenaire du *Fou chantant*. Cette prestation lui valut un tollé du public[4] qui en espérait bien davantage. Interviewé par *L'Indépendant*, le chanteur a répondu à quelques questions sur sa relation avec celui qui, dit-il, a inventé *la chanson poético-populaire*.

*

* *

L'Indépendant : – *Quand avez-vous découvert Charles Trenet ?*

Charles Aznavour : – Dès 1937. Il avait le béret, il était habillé en militaire car il effectuait alors son service sur la base aérienne d'Istres. Il était venu présenter deux chansons. J'ai senti tout de suite qu'il y avait un changement dans la chanson. On passait à un auteur dont la

[4] Voir article suivant : Quand la carte blanche vire au carton rouge...

poésie était plus importante que le verbe lui-même. Il était amoureux de toute la poésie française.

L'I. – *Comment résumeriez-vous l'artiste Trenet ?*

C. A. – L'humour, la poésie et le don populaire. C'est très important le don populaire. Charles Trenet était gentil avec le public. Il y a beaucoup d'artistes qui traitent un peu le public par-dessus la jambe. Lui était ouvert à son public.

L'I. – *Que doit la chanson française à Charles Trenet ?*

C. A. – On lui doit tout. Il a inventé la chanson poético-populaire. Pour une ligne poétique, il vous donnait une ligne populaire. Ce qui fait que la poésie est entrée dans l'oreille de ceux qui, habituellement, ne se préoccupaient pas de poésie.

Il faut lire La Fontaine et il faut lire Trenet. C'est un poète, Trenet. Il faut le lire. Il faut le chanter et le lire en même temps. Il a donné un coup de pied dans la fourmilière et il est resté ce qu'il était : un homme moderne.

Quand la carte blanche vire au carton rouge…

Extraits de l'article de Pure People
Publié le 22 août 2013

Attendu, mercredi 21 août 2013, lors d'un festival hommage à Charles Trénet organisé à Narbonne, Charles Aznavour a essuyé les foudres du public, qui a récompensé sa venue d'une bronca nourrie. En cause, la contribution (bénévole), trop minime au goût des spectateurs.

*
*   *

Présentée comme une carte blanche à Charles Aznavour, qui entretient, avec la plus grande flamme, le legs de Trénet depuis sa disparition en 2001, la soirée a en fait vu défiler sur le plateau du *Théâtre Scène nationale de Narbonne* d'autres artistes : Yves Jamait, Agnès Bihl ou Alexis HK, avant que la tête d'affiche fasse son entrée, vers 23 heures, soit deux heures après le début de la représentation et délivre sa prestation : cinq chansons de Trénet, trois en solo, deux en duo.

Charles Aznavour confessant, au cours de sa performance, quelques soucis vocaux et arguant de sa fatigue en raison d'un récent voyage au Canada, "*est reparti, une vingtaine de minutes plus tard, sans avoir interprété un titre de son propre répertoire*", a constaté le quotidien régional *Midi Libre.*

Remboursez, remboursez !: à l'unisson, debout comme un seul homme, le public clame son indignation. Habitué aux standing ovations, Aznavour reçoit celle-ci avec une volée de sifflets et de huées.

– *On comprend très bien qu'il soit âgé et fatigué, mais sur les tickets, sur le programme, il y avait écrit "Concert de Charles Aznavour", on s'est fait berner. Certains ont fait 900 km pour venir !,* s'insurge une spectatrice auprès du journaliste local.

Et, de fait, face à la grogne véhémente des intéressés, la ville de Narbonne a rapidement réagi en offrant de rembourser les billets, d'une valeur de 45 euros. Une somme raisonnable, comparée aux concerts qu'assure d'ordinaire Charles Aznavour en son nom propre, d'autant que le chanteur n'a "*touché aucun cachet*", participant "*en ami*" au *Festival Trénet,* comme l'a précisé, le lendemain, Marie-Claude Eglessies, élue de Narbonne en charge des animations.

En réalité, un malheureux malentendu semble être à l'origine du fiasco de ce spectacle "*Carte blanche à Charles Aznavour*", qui avait été vendu à la ville "clé en main" et pour lequel Aznavour et guests étaient arrivés le matin même du show.

Face à l'ampleur du tollé, le principal intéressé a exprimé, par la voix de Gérard Davoust, Président des *Éditions Raoul Breton*, sa contrariété et ses regrets. Il a déclaré :

– Il n'a jamais été question pour moi d'assurer un concert en son nom lors de cette soirée hommage à Charles Trenet. Mon souhait a toujours été de proposer une carte blanche, permettant au public de découvrir des artistes de grands talents que l'on peut légitimement considérer comme les héritiers de Charles Trenet, et de profiter de cette occasion pour offrir moi-même quelques chansons de celui que je considère comme son maître, en clôture de cet événement.

L'incident de Narbonne a tellement irrité le chanteur qu'il a décidé d'annuler sa participation de *La soirée hommage à Édith Piaf*, sur *France 2*, dont il devait être le Président d'Honneur.

Le chanteur de 89 ans a confié à Télé-Loisirs :

– Je n'y vais pas. Je vais encore avoir des ennuis. On va dire : "Il n'a pas chanté, il n'a pas voulu". (...) Je vais vous dire une chose, je ne veux pas qu'on me trompe : il faut être honnête dans la vie et à tout point de vue. Je devais en faire d'autres et j'ai tout annulé !

Charles tiendra parole, il ne participera pas à l'émission : *Hymnes à la môme*, enregistrée au *Beacon Theatre de New York* et diffusée sur France 2 le 5 octobre. Il y fera seulement une brève apparition, répondant à quelques questions (convenues et pré-enregistrées) sur sa relation avec Piaf.

Dernière minute

Personnalité préférée des Français

Fidèle à son habitude, *l'Hebdo du Dimanche* s'associe à l'institut de sondage *IFOP* et publie son classement annuel des personnalités préférées des Français. Rien de bien nouveau pour cette édition 2013 puisque Charles Aznavour termine encore à la première place. Selon de nombreux analystes, c'est probablement sur le physique que s'est joué le titre, le charme d'Aznavour (89 ans) n'étant pas étranger à sa popularité.

Aux marches du palais

Le 27 septembre 2013, Charles Aznavour était présent à l'occasion de l'inauguration du Palais des Congrès qui porte désormais son nom, à Montélimar dans la Drôme. Le député-maire de la ville de Montélimar, Franck Reynier, ainsi que l'animateur et ami du chanteur, Michel Drucker, étaient également présents. Charles Aznavour était déjà venu à Montélimar le 15 janvier 2010. Il avait été invité par la municipalité et la communauté arménienne, pour inaugurer un rond-point portant le nom de son ami Charles Trénet.

Une chanson "osée" pour Jenifer

Si France Gall n'a clairement pas apprécié les reprises enregistrées par Jenifer pour l'album : *Ma Déclaration,* Charles Aznavour a fait comprendre qu'il n'aurait rien contre un même hommage de la part de la coach de *The Voice*. Invité d'Aïda Touihri dans *Grand Public,* il a déclaré :

– Je dis non seulement oui, mais je peux même ajouter une chanson nouvelle dedans. Je serai ravi d'apporter au répertoire de Jenifer un titre un peu moins commun : une chanson… osée !

Premier concert en Israël

Charles Aznavour, donnera son premier concert en Israël, au Nokia de Tel Aviv, le 23 novembre 2013.

– La visite d'Aznavour est pour son implication dans le processus de paix et à accroître le soutien du public ont déclaré les organisateurs.

De nombreuses chansons du répertoire de Charles sont déjà chantées en hébreu. En 1967, il avait interprété *Yerushalaim.*

HUITIÈME PARTIE

Annexes

Biographie
Les dates-clefs

1924

• Le 22 mai, naissance, à Paris, dans une clinique de la rue d'Assas, de Shahnourh Varinag Aznavourian, que la sage-femme surnomme Charles.

Son père, Misha Aznavourian, ancien baryton, né en Géorgie, est le fils d'un ancien cuisinier du tsar de Russie, Nicolas II. Sa mère, Knar Baghdassarian, comédienne, est d'une famille commerçante de Turquie.

1925

Charles est baptisé à l'église arménienne de Paris.

1929

• La famille Aznavourian quitte la rue Monsieur-le-Prince pour un meublé de la rue Saint-Jacques.

• Misha ouvre un petit restaurant arménien rue de la Huchette : *Le Caucase*.

1930

• Misha ferme son restaurant et prend la gérance d'un café, rue du Cardinal Lemoine, qui se trouve être juste en face de l'*École du Spectacle*.

• La famille emménage dans un deux pièces de la rue voisine des Fossés-Saint-Bernard.

1933

• Comme Charles rêve de devenir acteur, ses parents l'inscrivent à l'*École du Spectacle* avec sa sœur Aïda. Les metteurs en scène qui ont besoin d'enfants pour une pièce ou un film viennent régulièrement y prospecter.

• Après avoir sollicité une audition, Charles débute au *Théâtre du Petit Monde* dans la pièce : *Un bon petit diable*. Il prend goût au théâtre et commence à être demandé dans des rôles d'enfant. Au *Studio des Champs-Élysées*, il incarne un petit noir dans la pièce *Émile et les détectives*.

1935

Charles joue au *Théâtre Marigny*, le rôle d'Henri IV enfant, dans *La reine Margot* d'Edouard Bourdet, avec Yvonne Printemps et Pierre Fresnay. Il enchaîne avec d'autres petits rôles au *Théâtre de la Madeleine*, dans *Beaucoup de bruit pour rien*, et à *l'Odéon*, dans *L'enfant*. Il présente même un numéro de danseur caucasien au *Théâtre du Trocadéro*.

1936

• Misha et Knar vendent leur café, déménagent dans le Marais, rue de Béarn, près du quartier juif, où le jeune Charles se fera une nouvelle culture musicale.

• Dans un magasin de musique, Charles entend un disque de Maurice Chevalier : *Donnez-moi la main* et c'est le déclic : à 12 ans, il décide qu'il deviendra chanteur.

• Charles débute dans des petits rôles au cinéma comme *La guerre des gosses* de Jacques Daroy.

1937

Charles rejoint sa sœur dans la troupe du chanteur méridional *Prior et ses Cigalounettes*, qui se produit dans les villes de Provence. Ils gagnent bien leur vie, mais Prior dépose le bilan et ils doivent rentrer à Paris.

1938

• Charles est engagé à l'*Alcazar de Paris*, dans la revue *Vive Marseille!* Il fait aussi une brève apparition dans le film: *Les disparus de Saint-Agil* de Christian-Jaque.

• Accompagné par son père, Charles court les crochets organisés par les cafés et les gagne souvent. Avec Aïda, il chante à Radio 37, dans l'émission: *Au bar des vedettes.*

• Charles fait un bref passage à *l'École centrale de TSF*, rue de la Lune.

1939

• Nouveau déménagement rue de Navarin, dans le 9e arrondissement.

• Charles quitte *l'École centrale de TSF* et devient commis pâtissier et vendeur de journaux à la criée sur les boulevards.

1940

• **En avril**, Misha s'engage comme volontaire dans l'armée française.

• L'univers du spectacle manque beaucoup à Charles et à sa sœur. Aïda trouve un engagement comme chanteuse au *Concert Mayol*, toute habillée parmi les femmes nues!

• Charles se fait admettre comme auditeur libre au *Conservatoire d'art dramatique*. Il y côtoie de futurs grands noms du théâtre comme Gérard Philipe, Maria Casarès, Jacques Charon... Il fréquente aussi le *Centre de Jeunesse du Spectacle*, hébergé par la *Comédie des Champs-Élysées*, où il suit les cours du comédien Louis Rognoni et s'exerce à écrire des chansons.

1941

• Charles a 17 ans, il adopte, dans la mesure de ses maigres moyens, la mode zazou, caractérisée par des vêtements anglais ou américains et un engouement pour le jazz. Il trouve un engagement dans un cabaret de Montparnasse : *le Jockey*, et fait une tournée à Metz.

• Il s'inscrit au *Club de la Chanson*, rue de Ponthieu, cette pépinière a pour but de découvrir et former de nouveaux talents. Charles y fait la connaissance de Zappy Max (alors professeur de claquettes) et d'un jeune pianiste, originaire de Beauvais, nommé Pierre Roche, qui a cinq ans de plus que lui et un sens du rythme extraordinaire.

• Au sein du Club, Pierre et Charles assurent bientôt les formations. Parmi les habitués figurent de jeunes inconnus : Dary Cowl, Jacqueline François, Micheline Dax... Ces artistes en herbe trouvent quelques engagements en banlieue ou en province.

1942

• Tous deux amateurs de swing, Roche et Aznavour décident de monter un spectacle où ils chantent à tour de rôle. Un jour, dans une salle des fêtes en banlieue, la présentatrice se trompe et les annonce en duo ! Pris au jeu, ils montent effectivement un duo, qui se produit de temps à autre, notamment dans des galas de bienfaisance pour les prisonniers.

• Le domicile familial des Aznavourian, rue de Navarin, sert de cache aux Arméniens enrôlés de force dans l'armée allemande, aux membres du réseau Manouchian, ainsi qu'à des Juifs russes.

1943-44

• Roche et Aznavour commencent à écumer les cabarets de la capitale et décrochent quelques engagements dans des music-halls. Ils tentent aussi leur chance en proche province, qu'ils sillonnent à vélo.

• Charles est doué pour les textes et Pierre pour les mélodies, alors ils écrivent des chansons qu'ils tentent de placer auprès d'autres interprètes, comme leur amie Jacqueline François, qui les chante au *Petit Chambord*, un restaurant de luxe. C'est là que Charles rencontre sa future épouse : la chanteuse Micheline Rugel.

1945

Le duo se produit dans un cabaret de Pigalle : *L'heure bleue*, où ils chantent une de leurs compositions : *Le feutre taupé* et *Quand un facteur s'envole* de Charles Trenet. Puis, d'un coup de vélo, ils filent aux Champs-Élysées, chez *Le Doyen*, où ils interprètent : *Bébert le monte en l'air*, un succès d'Andrex.

• Charles joue dans le film : *Adieu chérie*, avec Danielle Darrieux et Alice Tissot (ma mère !).

1946

• Charles épouse Micheline Rugel.

• Roche et Aznavour sont engagés pour ouvrir le spectacle, lors d'une émission de radio en public à la *Salle Washington*, dont les vedettes sont Édith Piaf et Charles Trenet.

• Avec son flair inimitable, Piaf repère Charles qui, bientôt, entre à son service et le restera durant huit ans : chauffeur, éclairagiste, homme à tout faire, il assiste à son tour de chant des centaines de fois. Il fait partie de sa bande mais, à la différence des autres, ne sera jamais son amant.

• Piaf emmène le duo en tournée avec les Compagnons de la Chanson. Si Roche écrit l'essentiel de ses chansons avec Aznavour, il en signe quelques-unes avec Édith : *Un homme comme les autres*, *Rencontre*…

• Piaf et Yves Montand refusent *J'ai bu*. C'est finalement leur ami Georges Ulmer qui l'enregistre en juin, ce qui lui vaudra, l'année suivante, le *Grand prix du disque* et lancera, par la même occasion, les deux auteurs. Ils écrivent *Incognito*, qui sera enregistré l'année suivante par Jacqueline François.

• **En février**, Roche et Aznavour se produisent à *Bobino*.

1947

• **Le 1er avril**, ils chantent en public à *Radio Lausanne*: *J'ai bu* et *L'héritage infernal* de Charles Trenet. L'enregistrement qui en a été conservé constitue un précieux témoignage sonore de leurs débuts.

• **En mai**, Micheline donne naissance à Patricia, surnommée Seda.

• **En juillet**, l'orchestre de Jacques Hélian enregistre *Départ express*, un boogie-woogie humoristique et les Compagnons de la Chanson: *Je n'ai qu'un sou*.

• **En septembre**, le duo passe au *Théâtre de l'Étoile*.

1948

• Très au point, le duo est de plus en plus demandé et obtient beaucoup de succès, notamment au music-hall: *Le Club des Cinq*.

• Charles décide de commander des affiches et de signer un contrat chez *Polydor* pour faire des disques.

• **Le 28 avril et le 26 mai**, Roche et Aznavour gravent 8 titres, accompagnés par le quintette Henri Leca. Ils sont regroupés sur 4 disques 78 t, qui se vendront malgré tout fort mal, ce qui explique leur extrême rareté...

• Rose Mania enregistre, également chez *Polydor*: *Le feutre taupé*. Les Compagnons de la Chanson: *Cinq filles à marier*. Édith Piaf: *Il pleut*. Lisette Jambel: *Mon premier verre de champagne*. Jean-Louis Tristan: *Sosthène*. Tohama: *Il y avait trois jeunes garçons*.

• **En septembre**, le duo s'envole vers New York pour rejoindre Édith Piaf dans une tournée. Mais ils n'ont pas de visas de retour et les services d'immigration ne sont guère coopératifs. Après quelques semaines à vivoter à Manhattan, ils retrouvent Piaf qui rentre de sa tournée au Canada et leur conseille de tenter leur chance à Montréal où "les Français de France" sont très bien accueillis.

• **En novembre**, ils atterrissent à Montréal et sont engagés au cabaret *Le Quartier Latin*. Présentés comme "les fameux duettistes français de Paris", ils obtiennent un vif succès et leur contrat est renouvelé.

• Après *Le Quartier Latin*, ils découvrent *Le Faisan doré*, animé par Jacques Normand. Ouvert quelques mois plus tôt dans le quartier des cabarets de nuit, c'est le premier établissement de la ville à délaisser la tradition des variétés américaines pour importer l'atmosphère des cabarets parisiens.

• **Fin décembre**, ils retournent à New York pour honorer un engagement au prestigieux cabaret *Cafe society*, dans le Greenwich Village, avec un tour de chant mi-anglais, mi-français. Ils y resteront cinq semaines.

1949

• **Fin janvier**, Roche et Aznavour sont de retour à Montréal, au *Faisan doré*. Ils sympathisent avec Jean Rafa, un autre chanteur français arrivé en même temps qu'eux à Montréal. Ils écrivent ensemble la chanson : *Du pep* que Jean Rafa enregistrera deux ans plus tard.

• Multipliant les conquêtes féminines, Roche et Aznavour ont la belle vie et décident de prolonger leur séjour au Québec. Ils y resteront un an et demi... De sorte que Aïda et Micheline (la femme de Charles) finissent par venir les rejoindre. Aïda trouve sa place dans le spectacle du cabaret.

Leur séjour au *Faisan doré* est entrecoupé de tournées en province.

• **En mai**, Charles Trenet recommande le duo à Gérard Thibault, propriétaire de la nouvelle boîte à la mode dans la ville de Québec : *Chez Gérard*, où ils obtiennent un nouveau triomphe.

• À Montréal, ils travaillent sans arrêt dans un local situé à l'étage supérieur du *Faisan doré*, écrivant plusieurs chansons, inspirées par leur séjour, qu'ils confient à leurs jeunes amis chanteurs : *Les filles des Trois-Rivières* et *Le bel écossais* sont interprétées par Monique Leyrac. *Il faut de tout pour faire un monde* et *Simplette* par Jacques Normand. *Premier verre de champagne* par Lise Roy.

• **En octobre**, ils enregistrent 4 titres pour le label *London*, filiale canadienne de *Decca*, accompagnés par le quintette de Walter Eiger : *Il pleut, En revenant de Québec, Les cris de ma ville* et *Retour*.

• **En décembre**, Pierre Roche fait la connaissance, au *Faisan doré*, de la jeune chanteuse Jocelyne Deslongchamps, qui débute sous le nom de Josette France. Une idylle se noue.

1950

• **Le 1er mai**, Pierre Roche épouse Jocelyne à Montréal. Quelques jours plus tard, Charles et Micheline accompagnent les nouveaux mariés pour leur voyage de noce à Paris. En prenant le bateau, ils laissent derrière eux des chansons et des amitiés inoubliables...

• Arrivé à Paris, Aznavour renoue avec Édith Piaf et reprend du service comme chauffeur-secrétaire. Comme son couple avec Micheline bat de l'aile, il vivra chez Édith durant quelques années.

• Certaines chansons signées Roche et Aznavour demeureront inédites ou seront déposées plus tard, mais ils n'écriront plus ensemble après 1950. Ce qui n'empêchera pas Charles de continuer à chanter leurs œuvres communes ou à les enregistrer seul par la suite.

• **En juillet**, Piaf grave deux des chansons écrites par le duo: *Il y avait* et *C'est un gars*. Cette dernière est aussi enregistrée par Lucienne Delyle qui remportera même le *Grand prix du disque*.

• Dany Dauberson grave: *Bal du Faubourg*, que Charles reprendra lui-même en 1957.

• De son côté, Pierre Roche décroche quelques engagements pour sa femme et écrit pour elle de nombreux arrangements.

• **En septembre**, Charles accompagne Piaf qui repart à New York honorer un contrat au cabaret *Le Versailles*. Il est à la fois son secrétaire et le régisseur de son spectacle.

1951

• Pour "réussir", Charles suit les trois conseils impératifs de Piaf: il doit faire sa carrière en France, se séparer de Roche et demander le divorce à Micheline. Il se lance alors seul comme auteur de chansons, cherchant de nouveaux compositeurs.

• Pour Piaf, il adapte un succès américain créé par Frankie Laine: *Jézébel*, qui est également enregistré par une pléiade de vedettes: Jacqueline François, Henri Decker, Dario Moreno, Paul Péri... Piaf grave aussi : *Une enfant*. En revanche, Édith refuse une autre chanson que Charles a signé avec Florence Véran : *Je hais les dimanches*.

• **En juillet**, *Je hais les dimanches*, défendue par Juliette Gréco au *Concours de la chanson de Deauville*, obtient *le prix des meilleures paroles* et *le premier prix d'interprétation* pour Juliette Gréco.

• **En octobre** : piquée au vif, Piaf enregistre à son tour *Je hais les dimanches* ainsi qu'une belle valse dont Charles a signé paroles et musique : *Plus bleu que tes yeux*.

• Charles adapte un autre succès américain : *L'objet*, dont s'emparent Maurice Chevalier et Andrex.

• Après dix ans de galère, Aznavour connaît donc un certain succès comme parolier. En revanche, aucune maison de disque ne veut de lui comme interprète... Sur la recommandation de son éditeur Raoul Breton, il parvient finalement à signer un contrat avec le jeune label *Selmer/Ducretet Thomson*, qui l'engage pour dix ans.

• **En décembre**, Charles enregistre ses premiers titres : *Poker* et *Jézébel*.

1952

• Charles décide de se produire en solo, mais n'est guère soutenu. On lui déconseille de chanter en raison de son physique et de sa voix voilée. Les professeurs de chant sont catégoriques et durant plusieurs années les critiques parisiens auront la plume très dure. Lui s'obstinera : "*Je chanterai, quitte à m'en déchirer la glotte*".

• L'une des rares à l'encourager est Patachou, qui vient déjà de découvrir Georges Brassens. Elle fait passer Charles dans son cabaret de la butte Montmartre et lui prend : *Plus bleu que tes yeux*, qu'elle enregistre à son tour.

• Aznavour travaille avec le compositeur Gaby Wagenheim : *Quand elle chante, Intoxiqué, Si j'avais un piano*.

• **En février et mars**, ses premiers disques 78 t solo sortent chez Ducretet Thomson : ils obtiennent un succès mitigé.

• Piaf a un nouvel homme dans sa vie : le chanteur Jacques Pills, qu'elle épousera à New York au mois de septembre. Charles fait la connaissance de son jeune pianiste, un certain Gilbert Silly, qui se fait appeler Bécaud. Gilbert est un jeune compositeur plein de fougue et Charles lui propose de travailler avec lui. Ensemble, ils écrivent une série de chansons au rythme entraînant, comme : *Viens,* qui est aussitôt enregistré par Jacques Pills et Marie Darmont.

• Aznavour a rencontré une jolie jeune femme, Évelyne Plessis, qui débute comme chanteuse au cabaret. Il s'est installé avec elle à Montmartre. Mais leurs engagements les éloignent souvent l'un de l'autre. Elle lui donne un deuxième enfant, prénommé Charles.

1953

• Aznavour et Bécaud forment un tandem au ton neuf qui va enthousiasmer la jeunesse. Durant leur collaboration, ils rivaliseront d'inspiration. Chacun enregistre de son côté : *Mé ké mé ké.* Cette pochade en forme de samba lente, refusée par Gilles Sala, le chanteur de charme antillais, est acceptée de suite par Dario Moreno, qui en fait un gros succès.

• Outre Aznavour et Bécaud, *Viens* est également enregistré par Dario Moreno et Patachou. Bécaud grave ensuite *Donne-moi,* tandis que Maria Vincent adopte *Aïe je l'aime !*

• Charles travaille avec un nouveau compositeur qui est aussi le pianiste d'Eddie Constantine : Jeff Davis. Ils signent ensemble *Et bâiller et dormir,* lancé avec succès par Constantine et par Annie Cordy, aussi repris par Lucie Dolène, Claude Dupuis, Jean Bretonnière, Patrice et Mario.

• Côté disque, les versions enregistrées par Charles de ses chansons créées par d'autres ne marchent pas bien. La directrice artistique de Ducretet, Ariane Ségal, lui conseille alors d'enregistrer des titres inédits, dont les ventes seront effectivement un peu plus concluantes. À la fin de l'année, Ducretet commence à sortir ses enregistrements sur disque microsillon, en parallèle des 78 t.

• **En décembre**, Charles entame sa première tournée en Afrique du Nord (Maroc, Algérie, Tunisie) avec Florence Véran et l'imitateur Richard Marsan. Contrairement à Paris, le public marocain lui réserve un accueil enthousiaste. Il y crée : *Viens au creux de mon épaule,* qui sera son premier vrai succès en tant qu'interprète. La chanson sera aussi enregistrée par Patachou, Jean Bertola, Jacqueline François, Irène Fabrice, Renée Lebas…

1954

• À son retour en France, Charles est engagé pour quinze jours en vedette du *Moulin-Rouge* : son nom sur la façade fait la fierté de ses parents. Il reprend ensuite la tournée des cabarets : *Chez Roberta, l'Échelle de Jacob* et passe au *Concert Pacra*. Il n'a pas encore vraiment trouvé son style d'interprétation et ses chansons ont davantage de succès quand elles sont chantées par les autres, parfois dans le même spectacle !

• Charles écrit avec Florence Véran : *Le noyé assassiné,* chanson créée par Philippe Clay qui obtiendra *le grand prix de l'Académie Charles Cros* en 1955. Sur le même 45 t figurent : *Si j'avais un piano* et *Moi j'fais mon rond,* chanson écrite sur une musique de Gaby Wagenheim, en vrai argot du milieu parisien, qui brosse le portrait pittoresque d'un proxénète et que Charles enregistre également. Sur le 45 t suivant de Clay on trouve deux autres titres cosignés Aznavour : *Ah !* et *Qu'est-ce que j'en ai à foutre.*

• Marjane chante : *Je veux te dire adieu* que Charles a écrite avec Bécaud. Annie Cordy enregistre : *La bagarre.* Eddie Constantine grave : *Deux pour s'aimer,* en duo avec Paulette Rollin.

• Cette même année, Aïda Aznavour enregistre sur 78 t Ducretet Thomson deux chants traditionnels arméniens.

1955

• Le 78 tours vit ses derniers mois… Désormais, c'est surtout sur 45 t et 33 t 25 cm que sont diffusées les nouvelles chansons de Charles. Le cru 1955 est particulièrement réussi, avec une livraison de beaux titres magnifiquement orchestrés par Jo Moutet : *À t'regarder,* composé par Jean Constantin, devient un succès par plusieurs interprètes : Anny Gould, Jacqueline François, Jacques Pills, Charles Gentès, Jackie Lawrence. *Je t'aime comme ça* est repris par Eddie Constantine, Colette Mars, Maria Rémusat. *Ça* est repris par Guylaine Guy et par son compositeur Gilbert Bécaud. *Toi* est repris par Jacqueline François.

• À cette époque, Charles a beau chanter dans plusieurs cabarets par soir, il a toujours du mal à percer.

• **En juin**, il obtient un engagement de la dernière chance à *l'Olympia*, en vedette américaine de Sidney Bechet. Il y restera finalement trois semaines, accompagné par le quintette de Jean Leccia.

Sur les conseils de son directeur, Bruno Coquatrix, qui trouvait qu'il manquait une chanson à son tour de chant, Charles écrit : *Sur ma vie* (paroles et musique) qui devient un vrai succès, à la fois personnel et populaire. La chanson est reprise par Patachou, Lucienne Delyle, Dario Moreno, Anny Gould, les Compagnons de la chanson, Marjane...

• Autre chanson marquante : *Après l'amour*, dont Charles a signé paroles et musique. Un titre qui sera interdit à la radio nationale durant dix ans, ce qui en fera un excellent argument de vente ! Ses paroles innovantes annoncent des chansons plus osées qui viendront 10 ans plus tard comme : *Déshabillez-moi* ou *Je t'aime moi comme ça...*

• Charles termine la musique de : *Sa jeunesse* (dont le texte remonte à son séjour au Québec en 1949) et aborde ainsi une veine nostalgique qui lui permet enfin d'affirmer son style. Le titre séduit d'ailleurs nombre d'interprètes : Anny Gould, Michèle Arnaud, Renée Lebas, Lina Margy, Jacqueline François, Maria Vincent, André Dassary, les Compagnons de la chanson, Réda Caire... Aznavour devient un auteur important de la chanson française.

• Jean-Claude Pascal démarre sa carrière de chanteur en enregistrant sur son unique 78 t : *Je voudrais*, chanson signée Roche et Aznavour que Charles a gravé l'année précédente. Jacqueline François enregistre *L'amour à fleur de cœur* et *Accusée levez-vous*.

• **En octobre**, Charles se remarie avec Évelyne Plessis. Il chante alors au cabaret *La villa d'Este*.

• **Fin décembre**, il revient pour trois semaines à *l'Olympia* : avec Gloria Lasso et Annie Fratellini. Il assure la première partie du spectacle de Roger Pierre et Jean-Marc Thibault.

1956

• *Ducretet Thomson* publie un 45 t intitulé : *Aznavour se souvient de Roche et Aznavour*, avec quatre nouveaux enregistrements de leurs anciens succès orchestrés par Jean Leccia : *J'ai bu, Le feutre taupé, Il pleut, Tant de monnaie.*

• **En mars**, Charles chante à *l'Alhambra.*

• Évelyne met au monde leur fils Patrick.

• Cette année est encore un grand cru pour Charles. Parmi ses nouvelles chansons : *On ne sait jamais* devient un grand succès de Jacqueline François, avant d'être enregistré en 1957 par Renée Lebas. Francis Linel grave : *L'amour a fait de moi* et Marcel Amont : *Sur la table. Avec ces yeux-là* est enregistré par Anny Gould, Eddie Constantine, Marjane, Irène Lecarte, alors que Charles attendra cinq ans pour le graver à son tour. *J'aime Paris au mois de mai* sera enregistré la même année par Greta Keller en français et en allemand.

• **En août**, Charles est en tournée dans le midi. Après un gala à Menton, il doit chanter au cabaret *L'amiral* de Saint-Tropez. Mais un grave accident de voiture, sur la route de Brignoles, l'immobilisera pendant plusieurs mois : il a les deux bras cassés et doit subir plusieurs opérations. Les médecins sont pessimistes... Aznavour surmontera pourtant cette dure épreuve en retrouvant le plein usage de ses membres.

• **En septembre**, la sulfureuse chanson : *Après l'amour* est incorporée à un 45 t qui fera date, intitulé : *Interdit aux moins de seize ans.* On y trouve également une chanson de 1954 : *Je veux te dire adieu* (musique de Gilbert Bécaud), dont les paroles sont encore plus crues. Tous deux l'ont enregistrée, mais Bécaud a pris soin de remplacer le mot "jouissance" par "souffrance".

1957

• **En mars**, Aznavour remonte sur scène à *l'Olympia* avec Dalida, puis à *Bobino* avec Marie-Josée Neuville. Il connaît enfin le vrai succès.

• Il sort un nouveau disque 33 t 25 cm intitulé : *Bravos du music-hall* (en écho à la récompense qui lui est décernée cette année-là par le magazine *Music-Hall*).

• Si l'on excepte ses petits rôles d'avant-guerre, Aznavour débute sa carrière cinématographique en 1957 en tournant trois films. Dans le premier, *Une gosse sensass'* de Robert Bibal, il incarne un chanteur et interprète un titre cosigné par Gilbert Bécaud : *C'est merveilleux l'amour*. On le voit ensuite dans *Paris music-hall* (film musical de Stany Cordier avec Mick Micheyl) et dans : *C'est arrivé à 36 chandelles*, d'Henri Diamant-Berger, avec une pléiade de vedettes : Philippe Clay, Charles Trenet, Georges Guétary, Georges Ulmer, Juliette Gréco...

• À la demande d'Amalia Rodriguez, Charles écrit, à la manière des fados, une chanson intitulée : *Ay mourir pour toi*, qu'il enregistre également, tout comme Dalida et Miguel Amador.

• D'autres interprètes continuent à adopter ses chansons : Claude Goaty et Jacqueline François enregistrent : *Si je n'avais plus*, Anny Gould : *Vivre avec toi*.

• Aznavour et Bécaud enregistrent, chacun de son côté, leur dernier opus : *La ville*, une grande fresque urbaine qui dépasse les cadres habituels de la chanson (elle dure près de 6 minutes).

• **En septembre**, Charles se produit à Bruxelles, à *l'Ancienne Belgique*.

• **En octobre**, il passe à *l'Alhambra*, puis il entame une tournée à l'étranger.

• Aïda sort un 45 t chez Ducretet avec des chansons de Charles et d'autres auteurs : *Sarah*, *Mon combat* (chanson inédite de Charles), *Le bal des truands* et *Madre mia*. Ces deux derniers ont été composés par un jeune musicien d'origine arménienne né à Athènes, Georges Garvarentz, qui entrera bientôt dans la vie d'Aïda. Celle-ci enregistre également un 33 t 25 cm de chants arméniens, dont un titre en duo avec son père Misha.

1958

• Aznavour est devenu un chanteur à succès : naissance de plusieurs *Clubs Aznavour*, courriers d'admiratrices dans les magazines... Son ascension ne s'arrêtera plus.

• Désireux d'entamer une carrière internationale, il commence à enregistrer à destination de l'étranger. *Ducretet Thomson* publie ainsi un 45 t en espagnol : *Juventud, divino tesoro* et un 33 t 25 cm en anglais : *Believe in me,* tous deux accompagnés par Jean Leccia.

• Charles tourne dans : *La tête contre les murs* de Georges Franju, qui lui vaut, l'année suivante, *le prix d'interprétation masculine du cinéma français.*

• Les interprètes de ses chansons sont toujours aussi nombreux : *Je n'peux pas rentrer chez moi* est repris par Renée Lebas, Roberta, Harold Nicholas. Cora Vaucaire met à son répertoire : *À tout jamais,* sans toutefois l'enregistrer. Anny Gould chante : *Je te donnerai.* Simone Langlois : *Une enfant, De profondis, Ton beau visage, J'entends ta voix, À tout jamais, Sarah.* Annie Fratellini : *Mon amour, Attention à la femme...*

• Aïda enregistre deux 45 t chez *Ducretet* avec des chansons de Charles et d'autres succès du moment : *Le jour où la pluie viendra* (Delanoé/Bécaud), *Dansons mon amour* (paroles adaptées par Charles sur les motifs d'un chant hébreu), *Par ce cri* (paroles de Charles sur une musique d'Henri Salvador)...

• **En octobre**, Charles se produit à nouveau à *l'Alhambra.*

• **En novembre**, il retourne chanter à Bruxelles à *l'Ancienne Belgique.*

• **Le 2 décembre**, il participe à un "Musicorama" à *l'Olympia.*

1959

• Priorité au cinéma : Charles tourne dans *Les dragueurs* de Jean-Pierre Mocky, *Le testament d'Orphée* de Jean Cocteau et *Oh ! qué mambo* avec Magali Noël et Dario Moreno.

• Il enregistre quelques nouvelles chansons comme : *J'en déduis que je t'aime* et *Gosse de Paris*, reprise par Jean-Claude Pascal, Patachou, Rosalie Dubois et un débutant nommé Jean-Jacques Debout. Ce dernier crée aussi *Le musée de l'armée,* tandis que l'humoriste Christian Méry grave : *Oh mon amour.*

1960

• Aznavour joue dans *Le passage du Rhin* d'André Cayatte et *Un taxi pour Tobrouk* de Denys de la Patellière. François Truffaut fait appel à lui pour son film : *Tirez sur le pianiste* qui sera diffusé aux États-Unis. Ce sera son visa pour l'Amérique : il chante au *Carnegie Hall*, la très prestigieuse salle de New York, et les critiques sont élogieuses.

• **En avril**, son contrat chez *Ducretet* arrivant à son terme, Aznavour change de maison de disques et signe chez *Barclay*. Ses nouveaux studios très bien équipés et le confort de travail attirent d'autres artistes en fin de contrat comme Léo Ferré, bientôt imité par Jean Ferrat et Jacques Brel.

• **En décembre**, Charles chante en tête d'affiche à *l'Alhambra*, accompagné par Paul Mauriat et un orchestre de trente musiciens. La première est une soirée mythique au cours de laquelle le public, d'abord tiède, est littéralement enlevé par une nouvelle chanson intitulée : *Je m'voyais déjà* qui déclenche un tonnerre d'applaudissements. À 36 ans, avec ce titre quasi autobiographique, sa carrière est définitivement lancée.

1961

• Aznavour commence à travailler avec le compositeur Georges Garvarentz, son futur beau-frère, avec lequel il signera nombre de succès, y compris pour les idoles yé-yé comme Johnny Hallyday : *Retiens la nuit* ou Sylvie Vartan : *La plus belle pour aller danser*.

• **En mai**, Charles entame un véritable tour du monde qui va durer plusieurs années. Turquie, Liban, Grèce, Afrique noire, URSS... Il devient une star internationale et vend des millions d'exemplaires de ses disques, entr'autres de *La Mamma* qu'il interprète triomphalement à Erevan, en Arménie.

1965

• De retour en France, Charles Aznavour installe son *One Man Show* de trente chansons pendant 12 semaines à *l'Olympia*.

• **En été**, il tourne *Paris au mois d'Août*, le film de Pierre Granier-Deferre.

• **En fin d'année**, il monte sa comédie musicale : *Monsieur Carnaval* dont est tirée la chanson *La Bohème*, qui restera un de ses titres-phares.

1966

• Charles Aznavour repart sur les routes pour continuer sa tournée mondiale. Après le Canada et les Antilles, il remporte un triomphe en Amérique latine, en particulier avec la version espagnole du titre *Avec*.

• Décès de Knar, la maman de Charles.

1967

• Charles Aznavour épouse à Las Vegas la Suédoise Ulla Thorsell.

1968

• **Le 12 janvier**, Charles épouse Ulla religieusement, à l'église arménienne de la rue Jean-Goujon, près des Champs-Élysées.

1969

• Charles Aznavour reçoit le prix de la Société américaine des auteurs compositeurs pour sa chanson : *Hier encore*, ainsi que la médaille Vermeil de la ville de Paris.

• Naissance de sa fille Katia.

1970

• Charles rédige ses mémoires : *Aznavour par Aznavour* et s'installe aux États-Unis.

• Durant l'année, il donne de nombreux récitals dans les universités de la côte ouest des États-Unis et triomphe à Broadway.

1971

• En début d'année, Charles remporte à nouveau un vif succès à *l'Olympia*

• Quelques mois plus tard, Il reçoit un *Lion d'Or* au *Festival de Venise* pour la version italienne de la chanson du film: *Mourir d'aimer.*

• Au mois de mai, naît son fils Misha.

1972

• **En début d'année et 6 semaines à l'automne**: Charles triomphe à *l'Olympia.* Le titre: *Les plaisirs démodés* est un tube qui fait le tour du monde.

• **En fin d'année**, un accident de ski immobilise Charles Aznavour pendant plusieurs mois. Il en profite pour écrire avec son beau-frère, le compositeur Georges Garvarentz, l'opérette *Douchka.*

1974

Aznavour reçoit un disque de platine en Grande-Bretagne pour le titre: *She*, qui ne marchera jamais en France.

1975

• À l'occasion du soixantième anniversaire du génocide arménien, Charles Aznavour crée la chanson: *Ils sont tombés.*

• Cette même année, il joue avec Claude Chabrol dans *Folies Bourgeoises.*

1976

Vedette internationale, les chansons de Charles Aznavour sont reprises par les plus grands. Ray Charles chante: *La mamma* et Fred Astaire: *Les plaisirs démodés*, peu de temps avant de disparaître.

1977

• Bing Crosby reprend : *Hier encore.*

• Charles Aznavour devient père d'un petit Nicolas, et grand-père pour la première fois.

1978

Charles entame une tournée internationale et encore une fois, triomphe à Broadway.

1979

Aznavour joue dans le film *Le Tambour* de Volker Schlöndorff qui obtient la *Palme d'or* au *Festival de Cannes.*

1980

Le chanteur triomphe à *l'Olympia* dont il est devenu un des piliers.

1981

Charles Aznavour reprend ses tours de chant à travers le monde.

1983

Aznavour quitte sa maison de disques *Barclay* pour *Trema,* avec qui il signe deux ans plus tard seulement. Sa nouvelle maison de disques s'engage à rééditer ses anciens titres.

1986

• Premières rééditions ainsi qu'un nouvel album, sur lequel on trouve la chanson : *Les Émigrants,* album qui se vend à 180 000 exemplaires.

• Charles se lance, pour la première fois, dans l'écriture du scénario de *Yiddish Connection* de Paul Boujenah, film qu'il interprète également.

1987

• Aznavour entame une tournée triomphale aux États-Unis avec la chanteuse Pia Zadora.

• Il revient ensuite chanter à Paris, au *Palais des Congrès*, avant de sillonner la France en fin d'année.

1988

• Charles Aznavour remonte sur la scène du *Palais des Congrès*.

• **En fin d'année**, le terrible tremblement de terre en Arménie (50 000 morts) dans la région de Leninakan et Spitak, mobilise l'artiste. Il va mener un combat ininterrompu pour aider sa terre d'origine. Il crée à cette occasion la Fondation : *Aznavour pour l'Arménie* qui se charge de collecter et d'envoyer vêtements et nourriture pour la population.

1989

• Avec le réalisateur Henri Verneuil, également d'origine arménienne, il fait appel aux artistes français pour le tournage d'un clip. 90 chanteurs et comédiens enregistrent alors la chanson : *Pour toi Arménie* qui se vend à un million d'exemplaires.

• Suite à cette opération, Charles Aznavour est nommé, *Ambassadeur permanent en Arménie* par l'*Unesco*.

• Aznavour va réenregistrer ses principaux titres à Londres qui sortiront en trois volumes.

1990

• Charles continue de tourner pour le cinéma et la télévision (*cf. sa filmographie complète*).

• En fin d'année, il donne au *Palais des Congrès* un récital en duo avec son amie de toujours, Liza Minneli.

1991

Parution de son deuxième ouvrage : *Des mots à l'affiche,* dans lequel il recueille nombre de ses textes.

1992

Charles Aznavour rachète le catalogue de la société d'édition phonographique Raoul Breton, dont il devient le président. Ce catalogue est un des plus riches de France et comprend, entre autres, les œuvres d'Édith Piaf et de Charles Trenet.

1994

• Charles signe avec *EMI* la réédition de la totalité de sa propre œuvre qui comprend environ 1 000 titres et dont une bonne moitié, est composée par lui-même. Une intégrale de 30 cd voit le jour.

• **En octobre**, Aznavour fait la Une du magazine américain *Billboard,* événement exceptionnel pour un artiste français.

1996

Ayant toujours conservé une amitié profonde pour le Québec, Charles se lie d'amitié avec la chanteuse québécoise Lynda Lemay et s'implique pour l'aider dans sa carrière.

1997

• Charles Aznavour obtient la *Victoire de la Musique du meilleur interprète masculin*, prix décerné par l'ensemble des professionnels de la chanson en France. Le Président de la République, Jacques Chirac, le nomme également *Officier de la Légion d'honneur*.

• Sortie d'un nouvel album : *Plus bleu* du nom d'une chanson qu'il a écrite en 1951 pour Édith Piaf. Il reprend d'ailleurs ce titre en duo virtuel avec la grande chanteuse française.

• **Le 12 juillet**, Charles Aznavour fête ses 50 ans de chansons au *Festival de Montreux* en Suisse. Après avoir ouvert le concert avec la chanson : *Après l'amour,* il laisse la place à une dizaine d'artistes de jazz qui reprennent ses titres les plus connus en français ou en anglais. Puis la star de la soirée revient clore le récital-anniversaire avec une version enlevée de *Emmenez-moi.*

1998

• **Fin juillet**, lors de sa tournée, Charles Aznavour est contraint d'annuler deux concerts pour raisons de santé.

• **En automne**, il démarre une grande tournée aux États-Unis.

• **En octobre**, il se produit un mois entier à New York, au *Marquis Theater* de Broadway, grand lieu de la comédie musicale et du music hall new-yorkais. C'est un triomphe pour l'artiste dont les Américains apprécient la classe, le romantisme et l'accent... Cette série de concerts à New York est suivie de quelques soirées à Los Angeles.

• **Début décembre**, le chanteur s'envole pour Moscou et Saint-Pétersbourg où l'accueil qui lui est réservé n'est pas moins chaleureux.

• Au même moment, Charles Aznavour publie un nouvel album un peu différent puisqu'entièrement jazz. Sur ce disque où il reprend 14 de ses standards façon jazz, il est accompagné par des pointures du genre comme André Ceccarelli, Michel Petrucciani ou Diane Reeves.

• Ennuis de santé, accident de voiture, Charles Aznavour décide de mettre un frein à ses tournées voire à y mettre fin. C'est ainsi qu'il entame d'ultimes périples musicaux à travers le monde et annonce ses adieux.

1999

• **En novembre**, Charles donne ses derniers concerts au Québec avec *Comme d'habitude,* un immense succès.

• Dans la foulée, Aznavour annonce ses derniers concerts parisiens pour octobre 2000. Mais environ 180 concerts sont prévus entre les deux tournées.

• Pour l'heure, il se consacre aussi à un vieux rêve, la comédie musicale, même s'il avait déjà touché à l'opérette en France dans les années 60. Depuis des années, il travaille sur le projet d'un spectacle consacré au peintre Toulouse-Lautrec.

• Les internautes de *CNN* et de *Time* le désignent comme un des chanteurs du 20e siècle avec *Elvis Presley* et *Bob Dylan*. Il est bien parti pour être aussi celui du 21e siècle.

2000

• **En avril**, *Lautrec* est enfin mis en scène sur une scène londonienne, le *Shaftesbury Theatre*. La comédie rencontre un certain succès et pourrait s'envoler vers Broadway. Aznavour en est l'auteur et le compositeur.

• **À l'automne**, Charles sort : *Aznavour 2000*, 12 nouvelles chansons douces-amères. À la même époque, il entame ce qui est annoncé comme une toute dernière tournée.

• **Le 24 octobre**, après la Suisse et la Belgique, la première parisienne a lieu le 24 octobre au *Palais des Congrès*, devant une salle pleine. Il y chante jusqu'au 17 décembre.

2001

• Charles Aznavour entame une tournée dans l'Hexagone.

• **Le 8 octobre**, il est élevé au rang de *Commandeur de l'Ordre national du mérite* par le Président de la République, Jacques Chirac.

2002

• **En Janvier**, il salue la reconnaissance par le Parlement français du génocide arménien.

• **En avril**, Charles signe l'appel du Collectif *Vive la France* à aller "chanter la Marseillaise pour la République" et contre le leader d'extrême droite Jean-Marie Le Pen, qui accède au second tour des élections présidentielles françaises.

• La même année sort *Ararat*, un film sur le souvenir du génocide réalisé par le Canadien d'origine arménienne Atom Egoyan dans lequel il joue.

2003

• **En avril**, Charles Aznavour participe à l'inauguration d'une statue en mémoire des victimes à Paris.

• **En septembre**, il publie ses mémoires : *Le temps des avants* (Flammarion).

• **En décembre**, il sort un nouvel album : *Je voyage*. Sa fille Katia chante sur le titre éponyme de l'album. Aznavour s'essaie au fado sur : *Lisboa*, à la salsa sur : *Il y a des trains* et swingue sur : *Quelqu'un de différent*.

2004

• Le temps de tourner une fiction télévisée à Bucarest (*Le père Goriot*, d'après Balzac), Charles Aznavour est de retour sur la scène du *Palais des Congrès* pour y fêter ses 80 ans, du 16 avril au 22 mai. 60 ans de carrière, 740 chansons, dont 350 en français, 150 en anglais, 8 disques en espagnol, 7 en allemand...

• À l'occasion de cet anniversaire, sort aussi un double album avec les plus grands succès d'Aznavour repris en duo avec les grands noms de la variété francophone : Florent Pagny, Line Renaud, Catherine Ringer, Nana Mouskouri, Corneille... Et même Liza Minelli.

2005

• Charles Aznavour fait paraître avec : *Insolitement vôtre*, un album studio qui rassemble les titres de sa comédie musicale : *Lautrec*, laquelle n'a jamais vu le jour en France. Le casting est prestigieux : on retrouve en duo avec le grand Charles : Annie Cordy, Serge Lama, Lio, Isabelle Boulay et Katia Aznavour, sa fille.

• Le réalisateur Edmond Bensimon rend, la même année, un hommage cinématographique au chanteur avec *Emmenez-moi*, un film relatant les aventures et mésaventures d'un fan de Charles Aznavour. Ce dernier y joue son propre rôle.

2006

• Année consacrée à une tournée d'adieux en dehors de la France. Même si Charles est en bonne santé, il lui est de plus en plus difficile de se produire aux quatre coins de la planète. Donc, on le retrouve en Allemagne en février, puis en Amérique du Nord en septembre.

• **Le 30 septembre**, le chanteur donne un grand concert à Erevan en Arménie qui lance la saison culturelle : *Arménie mon amie*, en France. Le président français Jacques Chirac, en visite officielle, et son homologue arménien Robert Kotcharian assistent à ce spectacle. En première partie, de nombreux amis de l'artiste se produisent sur scène : Nana Mouskouri, Line Renaud, Danny Brillant, Isabelle Boulay, Hélène Ségara et Michel Legrand, ces deux derniers étant d'origine arménienne.

• **En octobre**, Aznavour s'envole pour Cuba, enregistrer un nouvel album. Il reste sur l'île pendant 10 jours, passant son temps dans le mythique studio *Egrem* de La Havane. Il travaille là-bas avec Jesus "Chucho" Valdès, un pianiste et compositeur cubain de renom, à qui il a demandé d'orchestrer et d'arranger ses chansons. Avec le quatuor de "Chucho", les deux hommes élaborent douze titres dans lesquels se mêlent cha-cha-cha, calypso, mambo, latin jazz… La voix chaude d'Aznavour épouse une foule de rythmes de l'île caribéenne.

2007

• **En février**, sortie de *Colore ma vie*, enregistré à Cuba. Charles Aznavour tient sur ce disque à faire passer des messages. Dans *J'abdiquerai*, il qualifie la mort de "pute immonde". Dans *Moi, je vis en banlieue*, il parle d'immigration et d'intégration et, dans *La Terre meurt*, de la responsabilité de chacun en matière d'écologie. Mais Aznavour n'oublie pas ses grands thèmes, en décrivant les trois temps de l'amour dans *Avant, Pendant, Après* et en chantant une fois encore l'Arménie dans *Tendre Arménie*.

• **Le 17 février**, Charles investit *l'Opéra Garnier* à Paris pour un nouveau concert dédié à l'Arménie. Baptisé : *Aznavour et ses amis*, le spectacle est organisé au profit de l'opération : *Jeunes Ambassadeurs pour l'Arménie*, qui accueille en France des enfants arméniens apprenant le français. De nombreux chanteurs français participent à cet événement dont Patrick Bruel, Florent Pagny, Grand Corps Malade, Bénabar…

2008

• Charles Aznavour concocte un double album de duos qui sort en décembre. Un volume est consacré aux chansons en français et l'autre, à des chansons en allemand, en anglais, en italien et en espagnol. Des stars internationales sont conviées comme Elton John, Laura Pausini, Johnny Hallyday, Paul Anka, Liza Minnelli, Nana Mouskouri, Josh Groban, Julio Iglesias, Sting, Carole King, Placido Domingo. On peut entendre aussi trois duos posthumes avec Frank Sinatra, Dean Martin et Édith Piaf.

• **En décembre**, Charles Aznavour reçoit officiellement la citoyenneté arménienne des mains du chef de l'État arménien Serge Sarkissian.

• **Le 12 février**, le chanteur accepte de devenir *Ambassadeur d'Arménie en Suisse.*

2009

• **En avril**, l'Université de Montréal lui attribue un *doctorat honoris causa* de l'université, en reconnaissance de son "apport à la culture francophone".

• **En juillet**, il part chanter au Liban et en Tunisie avant de s'envoler pour l'Amérique du Sud en septembre.

• **À l'automne**, Charles fait une tournée en Italie. Lui qui a enregistré une demi-douzaine de disques en italien se produit à Parme, Bari, Florence, Milan, Rome…

• **Le 17 novembre** : Sortie d'un album de jazz : *Charles Aznavour and*

The Clayton Hamilton Jazz Orchestra. Il est allé l'enregistrer à Los Angeles, dans les très connus studios du *Capitol*, où Nat King Cole, Dean Martin ou encore Frank Sinatra ont chanté avant lui.

• **À la même époque**, Charles Aznavour est aussi en librairie avec : *À voix basse.* Un livre à la première personne à moitié autobiographique et surtout à l'usage des jeunes qui rêveraient d'embrasser le métier de chanteur.

2010

• **Le 6 mars**, Charles Aznavour est président d'honneur de la vingt-cinquième édition des *Victoires de la musique*, cérémonie au cours de laquelle il reçoit une *Victoire d'honneur* pour l'ensemble de sa carrière.

2011

• **En mai**, alors qu'il fête ses 87 ans, Charles Aznavour prévoit de remonter sur la scène de *l'Olympia* à l'automne, 55 ans après y avoir donné sa première représentation.

• **Pendant l'été**, on entend sur les radios un nouveau titre de Charles Aznavour : *Va*, premier single de l'album à venir : *Aznavour toujours.*

• **Fin août**, sortie dans les bacs de *Aznavour toujours.* Mêlant l'intime à l'universel, Charles Aznavour propose un voyage musical entre Paris et le Brésil, en passant par l'Espagne ou Broadway. C'est le couturier Karl Lagerfeld qui photographie le chanteur pour la pochette de l'album.

• **Le 7 septembre**, l'artiste entame une série de concerts à *l'Olympia* pour un mois, avant de partir en tournée.

• **Le 28 septembre**, il donne un concert avec la participation de nombreux artistes dont Bénabar et Julien Clerc, au profit de l'association : *Aznavour pour l'Arménie.*

• En préambule de sa tournée, Charles Aznavour publie un recueil de pensées et de souvenirs intitulé : *D'une porte à l'autre.*

2012

• **En avril**, Charles se produit à la *Maison symphonique de Montréal* ainsi qu'au *Capitole de Québec.*

2013

• **Le 27 avril**, Charles annonce la sortie d'un album consacré à des chansons qu'il a composées de 1950 à 1970, avec Gilbert Bécaud. Ce 58e opus sera présenté en 2014, alors que Charles Aznavour aura 90 ans.

• **Le 15 juin**, Charles interprète en duo à Bercy, à l'occasion des 70 ans de Johnny Hallyday : *Sur ma vie*, dans une immense émotion.

Il a dit…

On ne récolte jamais que les sentiments que l'on sème.

*
* *

La plus belle pierre tombale ne couvre qu'un cadavre.

*
* *

On ne m'a jamais rien donné, pas même mon âge.

*
* *

La jeunesse en tant que telle ne m'intéresse pas, ce qui m'intéresse c'est l'avenir. Si les vieux font la prochaine révolution, alors les vieux m'intéressent.

Le travail

J'ai gagné ma liberté par mon travail et ce travail m'a littéralement emprisonné.

*
* *

Je suis devenu un artiste en frappant sur l'enclume !

*
* *

Il n'y a qu'une règle : le travail. Je n'ai pas passé un soir dans ma vie sans lire ou apprendre quelque chose.

*

* *

Quand le métro est bondé, on entre en poussant. Eh bien les idées, c'est pareil ! Sans travail, on en a qui flottent dans notre esprit. Si ça rentre de force, on fait de meilleures choses.

Succès et honneurs

Le succès n'est que l'expression d'une vaste hallucination collective.

*

* *

Le bonheur supposé de la célébrité chatouille les désirs du plus grand nombre.

*

* *

Pour faire du succès, il vaut mieux mouiller sa chemise que sa culotte.

*

* *

On m'a fait chevalier de ceci, chevalier de cela, alors que je me suis donné un mal de chien pour devenir Aznavour.

*

* *

La gloire s'efface vite sous le fardeau de tout ce à quoi elle nous expose, de tout ce à quoi elle nous oblige à renoncer pour l'atteindre.

Les mots

J'ai commencé avec trois cents ou trois cent cinquante mots, aujourd'hui, ça va beaucoup plus loin et je continue à en apprendre. L'air du temps enrichit mon vocabulaire et mon orthographe, ce dont je ne suis pas peu fier !

Je me suis servi des mots pour décrire mes maux, et j'y ai gagné des migraines.

*

* *

J'ai fait chanter des mots sur des notes de musique, avant de me rendre compte que le mot est musique.

*

* *

Un mot, un seul, peut déterminer le contenu d'une chanson. On le nourrit, on le cajole, et le texte finit par se construire dans notre tête.

*

* *

Lorsque je lis une phrase, écrite deux cents ans avant ma venue au monde, et qu'elle ressemble à d'autres que j'ai imaginées, j'ai l'impression d'avoir été plagié.

*

* *

J'appris très vite la langue française. Si elle avait été ma langue maternelle, peut-être n'aurais-je pas mis tant d'ardeur à la comprendre et à la maîtriser. Mais en tant que belle étrangère, elle figurait un idéal à atteindre.

La chanson

Je suis un homme en colère. Je ne peux pas être sourd et aveugle à tout ce qui se passe autour de moi. Alors, ça m'inspire. Je proteste à ma façon, avec ma plume.

J'ouvre les yeux du public en chansons. Je combats à ma façon les préjugés et les clichés.

*

* *

La chanson reste et traverse les murs, contrairement à la parole politique. Elle est le reflet d'une époque, son miroir.

Mes chansons racontent des histoires. On croit que c'est la mienne. Mais je n'écris pas en fonction de ce que je vis. Seule la feuille blanche me donne l'inspiration.

*

* *

Dans mes chansons d'amour, je suis plus amoureux que je ne l'ai jamais été. Une chanson d'amour doit être excessive. Si elle ne l'est pas, elle n'exprime rien. L'homme a la pudeur que le chanteur n'a pas.

*

* *

N'ayant aucun talent pictural, je me console en peignant des textes et des chansons.

L'immigration

Je suis devenu français d'abord, dans ma tête, dans mon cœur, dans ma manière d'être, dans ma langue… J'ai abandonné une grande partie de mon arménité pour être français… Il faut le faire. Ou alors il faut partir.

*

* *

On n'a pas idée de ce qu'est l'immigration tant qu'on ne l'a pas connue. Apprivoiser un pays où tout vous est étranger est une chose délicate. La langue vous rejette, pour commencer. Passé cette étape, il vous faut vous approprier chaque détail, chaque usage de votre nouvelle culture, accepter aussi l'indifférence des gens à vos problèmes – ils ont déjà bien assez à faire avec les leurs – La terre d'accueil, si sympathique soit-elle, demeure malgré tout un enfer.

*

* *

J'ai trop vu le malheur pour me complaire dans la tristesse : la guerre, les privations, la pauvreté, pas la misère. Vous savez, les enfants d'immigrés sont des survivants.

Je suis et le patriarche d'une famille où il y a des enfants et des petits-enfants juifs, musulmans, catholiques et grégoriens. D'ailleurs, j'ai épousé une femme de couleur… elle est très blanche.

La vieillesse

Fuir les marques du temps sur son visage, dans ses textes ou même sans sa musique, c'est effacer de son vécu et perdre un peu de soi.

*

* *

Je préfère être un octogénaire au regard vif et aux mots alertes qu'une ruine essayant sans succès de faire croire à ce qu'elle n'est plus.

*

* *

Je me suis fait opérer du nez parce que j'avais une bosse dessus. Je me suis fait implanter des cheveux à l'avant du front, parce que j'en manquais. J'ai un appareil auditif parce que j'entends mal. Je l'ai dit bien avant de le raconter dans mon livre parce que je me suis dit : on n'en fait pas tout un plat lorsqu'il s'agit d'un râtelier, ou d'une moumoute... Il faut juste s'arranger pour être le plus confortable possible.

La retraite

Plus vous avancez, plus vous vous rendez compte que vous avez tenu le coup, plus il faut montrer cet optimisme en se disant : "Si j'ai tenu le coup jusque-là, je peux aller encore plus loin." Et ça, c'est mon truc à moi.

*

* *

J'arrête un jour, je regrette ma décision le lendemain. Il serait raisonnable que je me retire, mais je n'ai jamais été raisonnable.

La mort

Ce n'est pas que j'ai une peur de la mort. Non, j'ai seulement peur de ne plus vivre.

La religion

Je m'entends bien avec toutes. Ma fille a été mariée à un juif, mort aujourd'hui. Mon autre fille a épousé un musulman. Ma femme est pro-

testante. Je suis grégorien et la femme de mon jeune fils est catholique. Tout ça vit en parfaite intelligence ! Alors on se bat pour quoi ? Laissez-moi râler pour ce à quoi je crois.

*

* *

De Dieu, je n'en connais qu'un, et les noms qu'on lui a donnés ne pourront rien changer à l'affaire. S'il a tout créé ; il s'est donc créé lui-même, ce qui me fait penser qu'il est un "Self-made God".

*

* *

Le doute est la première religion du monde. J'ai écrit une chanson : Des amis des deux côtés, *qui figure sur mon dernier album. Des deux côtés : au ciel ou en enfer. Moi, je n'ai rien fait de mal dans ma vie. J'ai aidé les autres tant que j'ai pu, je n'ai jamais pris la place de quelqu'un et je n'ai jamais rien volé, je n'ai assassiné personne, je n'ai pas été à la guerre. Alors, je peux me permettre de douter. Le doute alimente l'intelligence. C'est une recherche. Je lis tout ce qui s'écrit sur après la vie. Si Dieu existe, je ne pense pas qu'il me mettra du mauvais côté.*

Discographie de Charles Aznavour

1953

Chez Ducretet-Thomson : Album.
Aznavour chante Aznavour n° 1
Et bâiller et dormir - Couchés dans le foin - Intoxiqué - Oublie Loulou - Quand elle chante - Si j'avais un piano - Viens - Mé-ké, mé-ké - Jézébel - Poker - Plus bleu que tes yeux.

1954

Chez Ducretet-Thomson : 45 T. Octobre.
Moi j'fais mon rond - Viens au creux de mon épaule - Parce que - Ah ! Crédits.

1955

Chez Ducretet-Thomson : 45 T. Mai.
Je t'aime comme ça - À t'regarder - Ça - Toi.

Chez Ducretet-Thomson : Album.
Aznavour chante Aznavour n° 2
Ça - Parce que - Heureux avec des riens - Viens au creux de mon épaule - L'émigrant - Je t'aime comme ça - Les chercheurs d'or - Je veux te dire adieu - Toi - À t'regarder.

Chez Ducretet-Thomson : 45 T. Septembre.
Terre nouvelle - Le palais de nos chimères - Sur ma vie - Après l'amour.

Concert live à Lausanne
Le feutre taupé - Parce que - Et bâiller et dormir - Tant de monnaie - Oublie Loulou - Viens - On m'a donné - Les chercheurs d'or - Poker - Je veux te dire adieu - Mé-ké, mé-ké - Viens au creux de mon épaule.

1956

Chez Ducretet-Thomson : Album.
Aznavour chante Aznavour n° 3
Sur ma vie - On ne sait jamais - Après l'amour - Prends garde - Vivre avec toi- J'aime Paris au mois de mai - Chemin de l'éternité - J'entends ta voix - Une enfant - Je cherche mon amour.

Chez Ducretet-Thomson : 45 T. Janvier.
Le chemin de l'éternité - Je cherche mon amour - Prends garde - Une enfant.

Chez Ducretet-Thomson : 45 T. Février.
Terre nouvelle - Le palais de nos chimères - Sur ma vie - Après l'amour.

Chez Ducretet-Thomson : 45 T.
Parce que - Ah ! - Moi, j'fais mon rond - Viens au creux de mon épaule.

Chez Ducretet-Thomson : 45 T. Mai.
On ne sait jamais - J'entends ta voix - Vivre avec toi - J'aime Paris au mois de mai.

Chez Ducretet-Thomson : Pochette. Juin.
Vintage French Song N° 60 - Eps Collectors, "interdit Aux Moins De 16 Ans" - Après l'amour - Je veux te dire adieu - Prends garde - L'amour à fleur de cœur.

Chez Ducretet-Thomson : 45 T. Juin.
J'ai bu - Tant de monnaie - Le feutre taupé - Il pleut.

Chez Ducretet-Thomson : 45 T. Novembre.
Merci mon Dieu - L'amour a fait de moi - Sa jeunesse - Sur la table.

Chez Ducretet-Thomson : *45 T. Juillet.*
Ça ! - Plus bleu que tes yeux - Après l'amour - Une enfant - Poker - Viens au creux de mon épaule - Oublie Loulou.

1957

Chez Ducretet-Thomson : *45 T. Novembre.*
Ay ! mourir pour toi - Perdu - Pour faire une jam - Il y avait trois jeunes garçons.

Chez Ducretet-Thomson : *45 T. Novembre.*
La ville "The Town" - Si je n'avais plus - C'est merveilleux l'amour.

Chez Ducretet-Thomson : *Album.*
Bravos du music-hall
Ay mourir pour toi - Pour faire une jam - Il y avait - À propos de pommier - Merci mon Dieu - Sa jeunesse - L'amour a fait de moi - Bal du faubourg - Sur La Table - J'ai appris alors - De ville en ville - Je ne peux pas rentrer… - Je te donnerai - Gosse de Paris - J'en déduis que je t'aime - Mon amour protège-moi.

1958

Chez Ducretet-Thomson : *45 T. Mars.*
Quand tu viens chez moi, mon cœur - Mon amour - Ton beau visage - Je hais les Dimanches.

Chez Ducretet-Thomson : *Album.*
Believe in Me
I look at you - Mé-Ké, mé-ké - I'm gonna sleep with one eye open - I want to be kissed - Cry upon my shoulder - Parti avec une autre - Le feutre taupé - Sur ma vie (Believe in Me) - À te regarder - Mé-Ké, mé-ké - Et bâiller et dormir -
Viens pleurer au creux de mon épaule - Moi je fais mon rond - Parce que - Ah ! Monsieur Jonas - Je t'aime comme ça - Ça - Toi.

Chez Ducretet-Thomson : *45 T. Juillet.*
Moi j'fais mon rond - Viens au creux de mon épaule - Parce que - Ah !

Chez Ducretet-Thomson : Album.
C'est ça !
La ville - Donne, donne-moi ton cœur - Ma main a besoin de ta main - Mon amour - Si je n'avais plus - Ce sacré piano - Je hais les dimanches - C'est ça - Quand tu viens chez moi, mon cœur - Il y avait trois garçons.

Chez Ducretet-Thomson : 45 T. Septembre.
Je te donnerai - Ce sacré piano - Je ne peux pas rentrer chez moi - C'est ça.

Chez Ducretet-Thomson : 45 T. Octobre.
De ville en ville - Ma main a besoin de ta main - À tout jamais - Donne, donne-moi ton cœur.

1959

Chez Ducretet-Thomson : 45 T. Catégorie Films. Janvier.
Générique - Tu étais trop jolie - Francesca - Je m'voyais déjà - Pourquoi viens-tu si tard ?

Chez Ducretet-Thomson : 45 T. Juillet.
J'en déduis que je t'aime - Mon amour, protège-moi - Gosse de Paris (du ballet *Gosse de Paris*) - Tant que l'on s'aimera (du film *Délit de fuite*).

Chez Ducretet-Thomson : 45 T. Catégorie Films. Septebvre.
Mon amour, protège-moi - Une voiture dans la ville - La nuit des traqués - La mort de Taretta.

Chez Ducretet-Thomson : 45 T. Septembre.
Le chemin de l'éternité - Je cherche mon amour - Prends garde - Une enfant.

1960

Chez Barclay : 45 T.
Tu t'laisses aller - J'ai perdu la tête - Plus heureux que moi - La nuit.

Chez Barclay: 45 T.
Les deux guitares - Ce jour tant attendu - Rendez-vous à Brasilia - Fraternité.

Chez Ducretet-Thomson/Pathé-Marconi: 45 T. Avril
Quand tu vas revenir - Dis-moi - Tu étais trop jolie - Liberté.

Chez Barclay: Album.
Je m'voyais déjà
Je m'voyais déjà - J'ai perdu la tête - Plus heureux que moi - Tu vis ta vie mon cœur - Comme des étrangers - Les deux guitares - Tu t'laisses aller - Rendez-vous à Brasilia - Quand tu m'embrasses - L'amour et la guerre - Monsieur est mort - Prends le chorus.

Chez Barclay: Album.
Les deux guitares
Les deux guitares - Ce jour tant attendu - Fraternité - J'ai des millions de rien du tout - J'ai perdu la tête - Tu t'laisses aller - Rendez-vous à Brasilia - La nuit - C'n'est pas nécessairement ça - Plus heureux que moi.

Chez Barclay: 45 T.
L'amour et la guerre - Prends le chorus - L'enfant prodigue - Monsieur est mort.

1961

Chez Barclay: 45 T. Janvier.
Je m'voyais déjà - Quand tu m'embrasses - Comme des étrangers - Tu vis ta vie mon cœur.

Chez Barclay: 45 T. Mars.
Il faut savoir - Avec ces yeux-là - Le carillonneur - La marche des anges (Thème du film *Un taxi pour Tobrouk*).

Chez Barclay: 45 T. Décembre.
J'ai tort - Voilà que ça recommence - Esperanza - Lucie

Chez Barclay: 45 T. Décembre. Catégorie: Noël.
Noël des mages - Douce nuit - Noël-carillon - Dors ma colombe.

Chez Barclay : 33 T.
Il faut savoir - Ne crois surtout pas - Avec ces yeux-là - Le carillonneur - J'ai tort - Lucie - Voilà que ça recommence - La marche des anges.

1962

Chez Barclay : 45 T.
Alleluia - Les petits matins (du film *Les petits matins*) - L'amour c'est comme un jour - Trousse-chemise.

Chez Barclay : 45 T. Septembre.
Les comédiens - Au rythme de mon cœur - Tu n'as plus - Notre amour nous ressemble.

Chez Barclay : Album.
Alleluia
Alleluia - L'amour c'est comme un jour - Notre amour nous ressemble - Au rythme de mon cœur - Esperanza - Les comédiens - Trousse-chemise - Tu n'as plus - Dolores - Les petits matins.

1963

Chez Barclay : 45 T.
Je t'attends - Dors - Les deux pigeons - Ô toi la vie.

Chez Barclay : 45 T.
Trop tard - Au clair de mon âme - Donne tes 16 ans - Qui ?

Chez Barclay : Album.
Qui ?
For me... formidable - Au clair de mon âme - Qui ? - Oh toi ma vie - Trop tard - Donne tes 16 ans - Tu exagères - Jolies mômes de mon quartier - Bon anniversaire - Les deux pigeons - Il viendra... ce jour.

Chez Columbia/Pathé-Marconi : 45 T. Mars.
L'amour à fleur de cœur - Rentre chez toi et pleure - Sa jeunesse... entre ses mains - Jézébel.

Chez Barclay : 45 T.
For me… formidable - Tu exagères - Bon anniversaire - Il viendra ce jour.

Chez Barclay : 45 T. Novembre.
Sylvie - Les aventuriers - La Mamma - Ne dis rien.

Chez Barclay : 45 T. Novembre.
Et pourtant - Le temps des caresses - Si tu m'emportes - Tu veux.

Chez Barclay : Album.
La Mamma
La Mamma - Si tu m'emportes - Je t'attends - Sylvie - Et pourtant - Aventuriers - Tu veux - Le temps des caresses.

1964

Chez Barclay : 45 T.
Que c'est triste Venise - Hier encore - À ma fille - Quand j'en aurai assez.

Chez Barclay : 45 T.
Le temps - Tu t'amuses - Avec - Il te suffisait que je t'aime.

Chez Barclay : 45 T.
Le toréador - Que Dieu me garde - Reste - Les filles d'aujourd'hui.

Chez Ducretet-Thomson : 45 T.
Jézébel - C'est merveilleux l'amour - Ce sacré piano - Parce que tu crois.

Chez Barclay : Catégorie : Bandes originales de films.
Week-end à Zuydcoote par Charles Aznavour - Générique (Maurice Jarre) - *Week-end à Zuydcoote* (Maurice Jarre) - Final (Maurice Jarre).

Chez Ducretet-Thomson/Pathé-Marconi : 45 T. Février
Après l'amour - Je veux te dire adieu - Prends garde - L'amour à fleur de cœur.

Chez Columbia : 3 albums versions nouvelles
Charles Aznavour vol. 1, 2 et 3

Chez Columbia : album versions nouvelles
Que c'est triste Venise

Chez Columbia/Pathé-Marconi : 45 T. Juin.
J'aime Paris au mois de mai - Après l'amour - Parce que - Ce sacré piano.

Chez Ducretet-Thomson/Pathé-Marconi : 45 T.
L'amour à fleur de cœur - Rentre chez toi et pleure - Sa jeunesse… entre ses mains - Jézébel.

Chez Ducretet-Thomson/Pathé-Marconi : 45 T.
J'aime Paris au mois de mai - Après l'amour - Parce que - Ce sacré piano.

1965

Chez Ducretet-Thomson/Pathé-Marconi : 45 T.
Sur ma vie - Après l'amour - Terre nouvelle - Le palais de nos chimères.

Chez Barclay : 45 T. Janvier.
Le monde est sous nos pas - Je te réchaufferai.

Chez Barclay : album.
Aznavour 65

Chez Barclay : 45 T. Décembre
La bohème - Plus rien - Et je vais.

1966

Chez Barclay : 45 T. Janvier.
Paris au mois d'août - Sur le chemin du retour - Il fallait bien - Parce que tu crois.

Chez Barclay : 45 T. Juin.
Je l'aimerai toujours - Plus rien - Et moi dans mon coin - Je reviendrai de loin

Chez Barclay : 45 T. Novembre.
Les enfants de la guerre - Pour essayer de faire une chanson Ma mie - De t'avoir aimée.

Chez Barclay : album
La Bohème

Chez Barclay/CBS/Pathé/Philips.
Compilation de Noël
Noël des enfants oubliés (interprété par Dick Rivers) - Le Père Noël et la petite fille (interprété par Georges Brassens) - Les anges dans nos campagnes (interprété par Les Compagnons de la Chanson - Noël des mages (interprété par Charles Aznavour).

Chez Barclay : album
De t'avoir aimée

1967

Chez Barclay : 45 T. Avril
Il te faudra bien revenir - Entre nous - Je reviens Fanny - Les bons moments.

Chez Barclay : 45 T. Septembre
Yerushalaïm - Un jour - Éteins la lumière -Tu étais toi.

Chez Barclay : album
Entre deux rêves

1968

Chez Barclay : 45 T.
Je n'oublierai jamais - Désormais - L'amour - La lumière.

Chez Barclay : 45 T.
Caroline - J'aimerai - Emmenez-moi - Au voleur !

Chez Barclay : 45 T. Février.
Le cabotin - Comme une maladie - Tout s'en va.

Chez Barclay : 45 T. Juillet.
Au nom de la jeunesse - On a toujours le temps.

Chez Columbia : album versions nouvelles
J'aime Charles Aznavour vol. 4

1969

Chez Barclay : 45 T.
La lumière - Désormais.

Chez Barclay : album
Désormais

Chez Columbia/Pathé-Marconi : 45 T. Janvier.
Si j'avais un piano - Ma main a besoin de ta main - Le palais de nos chimères - Je te donnerai.

Chez Barclay : 45 T. Mai.
Quand et puis pourquoi - Marie l'orpheline.

Chez Barclay : 45 T. Juin.
Quand et puis pourquoi - S'il y avait une autre toi - Marie l'orpheline - Comme l'eau, le feu, le vent.

Chez Barclay : album
Aznavour sings vol. 1

1970

Chez Barclay : 45 T.
Le temps des loups - Avec toi.

Chez Barclay : album
Non je n'ai rien oublié.

Chez Barclay : 45 T.
Yesterday when I was young - All those pretty girls.

Chez Barclay : 45 T. Février.
Les jours heureux - Le temps des loups - Avec toi ?

Chez Barclay : album
Aznavour sings vol. 2

1971

Chez Barclay : 45 T. Juin.
Non, je n'ai rien oublié - Mourir d'aimer.

1972

Chez Barclay : Single.
Les plaisirs démodés.

Chez Barclay : 45 T.
Comme ils disent - On se réveillera.

Chez Barclay : 45 T. Mai
Le temps des loups - Avec toi.

Chez Barclay : album
Idiote je t'aime

1973

Chez Ducretet-Thomson : 45 T.
Sur ma vie - Je t'aime comme ça.

Chez Barclay : album
Aznavour sings vol. 3

Chez Barclay : 45 T.
Nous irons à Vérone - Un jour ou l'autre.

Chez Barclay : 45 T.
On n'a plus quinze ans - Mon amour, on se retrouvera.

Chez Barclay : 45 T.
La Baraka - Je meurs de toi

1974

Chez Barclay : 45 T.
Un enfant de toi pour Noël - Hosanna.

Chez Barclay : 45 T.
Tous les visages de l'amour - De t'avoir aimée.

Chez Barclay : 45 T.
Ils sont tombés - Tes yeux, mes yeux (Our love, my love).

Chez Barclay : album
A tapestry of dreams.

Chez Barclay : album
I sing... for you.

Chez Barclay : album
Visages de l'amour.

1975

Chez Barclay : 45 T.
You - Woman of today.

Chez Barclay : album
Hier encore
Il faut savoir - Les filles d'aujourd'hui - Entre nous - Désormais - Hier encore - Je m'voyais déjà - Que c'est triste Venise - Si tu m'emportes - Ton nom - Et pourtant - Bon Anniversaire - La Mamma.

1976

Chez Barclay : 45 T.
Mes emmerdes - Mais c'était hier.

Chez Barclay : Album.
Voilà que tu reviens
Voilà que tu reviens - Par gourmandise - Ciao mon cœur - Marie,

quand tu t'en vas - Merci Madame la vie - Mes emmerdes - Mais c'était hier - Ils sont tombés - Slowly - Tes yeux, mes yeux.

Chez Barclay : 45 T. Août.
Camarade - Toi (You).

1977

Chez Barclay : 45 T. Novembre.
J'ai vu Paris - Ne t'en fais pas.

1978

Chez Barclay : Album.
Je n'ai pas vu le temps passer

Dieu - Retiens la nuit - 1978 chez Barclay - Avant la guerre - Je n'ai pas vu le temps passer - J'ai vu Paris - Ne t'en fais pas - La chanson du faubourg - Dans ta chambre il y a - Camarade - Les amours médicales - Un corps - Je ne connais que toi.

Chez Barclay : 45 T. Catégorie Religion. Décembre.
Ave Maria - Ave Maria, instrumental.

Chez Barclay : Album. de Noël
Un enfant est né

1979

Chez Barclay : 45 T. Avril.
Être - Rien moins que t'aimer.

1980

Chez Barclay : Album.
Autobiographie
Ça passe - Mon ami, mon Judas - Mon émouvant amour - Autobiographie - L'amour, bon Dieu, l'amour - Allez ! Vaï Marseille ! - Je fantasme - Le souvenir de toi.

1981

Chez Barclay : 45 T.
Je fais comme si - Retiens la nuit.

Chez Barclay : 45 T. Mars.
Charles Aznavour et Mireille Mathieu
Une vie d'amour -Téhéran 43 (Ouverture).

1982

Chez Barclay : 45 T.
Une première danse - Comme nous.

Chez Barclay : Album
Je fais comme si...

Chez Barclay : Album
Je danse

Chez Philips : 45 T.
Charles Aznavour et les Compagnons de la chanson.
La légende de Stenka Razine - Ce n'est pas un adieu.

1983

Chez Barclay : 45 T.
I'll be there (Ça passe) - Somewhere out of town (Un été sans toi).

Chez Barclay : 45 T.
La salle et la terrasse - La mer à boire.

Chez Barclay : 45 T.
Trèfle à quatre feuilles - Papa Calypso.

Chez Barclay : Album
Charles chante Aznavour et Dimey

1986

Chez Tréma/Racoon Records : 45 T.
Embrasse-moi - Les émigrants.

Chez Tréma : album
Embrasse-moi

1987

Chez Tréma : Album
Je bois

Chez Tréma : 45 T.
Toi contre moi - Je me raccroche à toi.

Chez Tréma : 45 T.
Je bois - Les bateaux sont partis.

1992

Chez Walt Disney Records/Adès : 45 T.
Aznavour et Liane Foly
La belle et la bête (du film) - La belle et la bête, version instrumentale.

1994

Chez Musann : Album.
Toi et Moi
Toi et Moi - Un concerto déconcertant - Ton doux visage - Je t'aime - Un amour en transit - Les années campagne - Va-t-en - À ma manière - L'Âge d'aimer - Trenetement - Inoubliable - Aimer.

1998

Chez Emi : album.
Jazznavour
J'aime Paris au mois de mai - Ce sacré piano - De t'avoir aimée - Tu t'laisses aller - Mes emmerdes - Yesterday when i was young - Les plaisirs démodés - Me voilà seul - A t'regarder - Lucie - She

- Dormir avec vous madame - Au creux de mon épaule - For me formidable.

2000

Chez Emi : album.
Aznavour 2000
Le jazz est revenu - Qu'avons-nous fait de nos vingt ans - Dans tes bras - Elle à le swing au corps - Quand tu aimes - Je ne savais pas - J'ai peur - Habillez-vous - On m'a donné - La formule un - Après l'amour - De la scène à la Seine - Nos avocats - Je danse avec l'amour.

Chez Emi : album.
Je voyage
Lisboa - Je n'entends rien - Être quelqu'un de différent - Des mots - La critique - Je voyage - Mort vivant - Orphelin de toi - Il y a des trains - Des amis des deux côtés - Dans le feu de mon âme.

2006

Chez Emi : album.
Insolitement vôtre
Vive la vie - Quant tu m'aimes avec Isabelle Boulay - Désintoxication - Cancan avec Serge Lama - Est-ce L'amour ? avec Katia Aznavour - Moi - Un Monde à nous - Souvenirs - De second choix avec Lio - On s'éveille à la vie avec Hélène Ségara - Oh douce et tendre mère - L'amour fait mal - J'ai souvent envie de le faire avec Annie Cordy - Et peindre - Buvons - Je danse avec l'amour avec Maya Andrade - Le souffle de ma vie - Orphelin de toi - Sans limite avec Serge Lama - Laissez-le vivre.

Chez BLV : Album.
Harcourt M. de la Culture France
Plus bleu que tes yeux - Couchés dans le foin - Si j'avais un piano - Viens - Jézébel - Poker - Oublie Loulou - Intoxiqué - Et bâiller et dormir - Quand elle chante – Mé-Qué, mé qué - Voyez c'est le printemps - J'ai bu - Depart express - Le feutre taupé - Tant de monnaie - Je n'ai qu'un sou - Je suis amoureux - Boule de gomme - Les cris de ma ville - Retour - En revenant de Québec - Il pleut.

Chez EMI : Album.
De t'avoir aimée
Et moi dans mon coin - Je reviendrai de loin - Pour essayer de faire une chanson - Ma mie - Les enfants de la guerre - De t'avoir aimée - Les bons moments - Je l'aimerai toujours - On ne sait jamais - Quand tu vas revenir - Rentre chez toi et pleure - La ville - Il y avait - Je ne peux pas rentrer chez moi - Le chemin de l'éternité - Le palais de nos chimères - Je te donnerai - De ville en ville.

Chez EMI : Album.
Indispensables
CD 1
Je m'voyais déjà - For me formidable - À tout jamais - Hier encore - J'aime Paris au mois de mai - Que dieu me garde - L'amour c'est comme un jour - Ay mourir pour toi - J'ai bu - Le palais de nos chimères - Les deux guitares - Rendez-vous à Brasilla - Qui - Bon anniversaire - Au creux de mon épaule - Ton nom - Que c'est triste Venise - Le temps - La salle et la terrasse - Ce métier - J'ai vu Paris - La bohème - Je n'ai pas vu le temps passer - On ne sait jamais - Pour faire une jam - Les filles d'aujourd'hui - Je ne peux pas rentrer chez moi - Désormais - C'est merveilleux l'amour - Je t'aime comme ça - Plus heureux que moi - Et moi dans mon coin - Ave Maria - Me voilà seul - Tout s'en va - L'amour et la guerre - Je te réchaufferai - Les jours heureux - Ma mie - Les galets d'Étretat -

CD 2
La mamma - Pour essayer de faire une chanson - Prends le chorus – Quelque chose ou quelqu'un - Paris au mois d'août - Comme des roses - J'aimerais - Idiote je t'aime - Les plaisirs démodés - Mon ami mon judas - Monsieur est mort - Je hais les dimanches - Comme des étrangers - Au voleur - Et pourtant - De t'avoir aimée - Je reviens Fanny - Les enfants de la guerre - Vivre avec toi -Yerushalaïm - Non je n'ai rien oublié - Plus bleu que tes yeux - Le toréador – Emmenez-moi - Comme ils disent - La baraka - Sur ma vie - Donne tes 16 ans - She - J'ai perdu la tête - Mes emmerdes - Lisboa - Les deux pigeons - Mourir d'aimer - Quand tu vas revenir - Je fantasme - Il faut savoir - Tu t'laisses aller - Ça vient sans qu'on y pense - Sa jeunesse.

Chez EMI : Album.

Hier encore : best of studio et live à l'Olympia

Les comédiens - Je m'voyais déjà - Mes emmerdes - Non je n'ai rien oublié - Les plaisirs démodés - For me formidable - La Mamma - Que c'est triste Venise - La bohème - Désormais - Comme ils disent - Qui - Et pourtant - Le temps - Je voyage (En duo avec Katia Aznavour) - Un mort vivant "Délit d'opinion"- Quand tu m'aimes - You make me feel so young - Il y avait - Emmenez -moi.

Il faut savoir (Olympia 68) - Paris au mois d'août (Olympia 68) - Tout s'en va (Olympia 68) - Sa jeunesse - Hier encore (Olympia 68) - Je reviens (Olympia 72) - Idiote je t'aime (Olympia 72) - J'ai vécu (Olympia 72) - Viens au creux de mon épaule (Olympia 72) - Pour faire une jam (Olympia 72) - Après l'amour (Live Olympia 72) - Sur ma vie (Live Olympia 72) - Je n'ai pas vu le temps passer (Olympia 78) - Les deux guitares (Olympia 78) - Avant la guerre (Olympia 78) - Être (Olympia 80) - Mon émouvant amour (Olympia 80) - Le souvenir de toi - Eteins la lumière (Olympia 80) -Tu t'laisses aller (Olympia 80) - Ave Maria (Olympia 80).

Chez EMI : Album.

Déjà en haut de l'affiche

Plus bleu que tes yeux - Le feutre taupé - Jézébel - Oublie loulou - Poker - Il pleut - Boule de gomme - Départ express - Tant de monnaie - Voyez c'est le printemps - J'ai bu - Je n'ai qu'un sou - Je suis amoureux - Les cris de ma ville - Retour - En revenant de Québec.

2007

Chez IFR : Album.

Au creux de mon épaule

Au creux de mon épaule - Ça ! - Parce que - Heureux avec des riens - L'émigrant - Je t'aime comme ça - Les chercheurs d'or - Je veux te dire adieu - Toi (mes insomnies) - A t'regarder - Couchés dans le foin - Ah ! - Viens - Je voudrais - La bagarre - Moi, j'fais mon rond - Intoxiqué - Et bâiller et dormir - Quand elle chante – Mé-Qué, mé-qué - Monsieur Jonas - Quelque part dans la nuit.

Chez IFR : Album.
Charles Aznavour
Propos de pommier - Et bâiller et dormir - Couchés dans le foin - Intoxiqué - Quand elle chante - Si j'avais un piano - Viens – Mé-Qué, mé-qué - Je Voudrais - La bagarre - Moi j'fais mon rond - Monsieur Jonas - Quelque part dans la nuit - Parce que - Heureux avec des riens.

Chez IFR : Album.
Songs of France
CD 1
Plus bleu que tes yeux - Sur ma vie - Couchés dans le foin - Intoxiqué - Moi j'fais mon rond - Viens - Après l'amour - Heureux avec des riens - Parce que - Terre nouvelle - Une enfant - Je voudrais - La bagarre - On ne sait jamais - Quand elle chante.
CD 2
J'aime Paris au mois de mai – Mé-Qué, mé-qué - Et bâiller et dormir - Au creux de mon épaule - Poker - Jézébel - Si j'avais un piano - J'ai bu - Monsieur Jonas - Sa jeunesse entre ses mains - Parti avec un autre amour - Je cherche mon amour - Vivre avec toi - Le palais de nos chimères - L'amour à fleur de cœur.

Chez EMI : Album
Colore ma vie
La terre meurt - Colore ma vie - Il y a des femmes - J'abdiquerai - Tendre Arménie - Avant, pendant, après - T'en souvient-il ? - Sans importance - Moi, je vis en banlieue - Oui - Fado - La fête est finie.

Album
Les premières chansons
Plus bleu que tes yeux - Jézébel - Poker - Oublie Loulou - En revenant de Québec - Boule de gomme - Départ express - Le feutre taupé - J'ai bu - Il pleut - Tant de monnaie - Les cris de ma ville - Voyez, c'est le printemps - Retour - Je n'ai qu'un sou - Je suis amoureux.

2008

Chez EMI : Album
Duos
CD 1
Toi et moi (avec Céline Dion) - Que c'est triste Venise (avec Julio Iglesias) - Les bateaux sont partis (avec Placido Domingo) - Paris au mois d'août (avec Laura Pausini) - Hier encore (avec Elton John) - Il faut savoir (avec Johnny Hallyday) - Mourir d'aimer (avec Nana Mouskouri) - L'amour c'est comme un jour (avec Sting) - La bohème (avec Josh Groban) - Ton nom (avec Carole King) - Je n'ai pas vu le temps passer (avec Paul Anka) - Mes emmerdes (avec Herbert Grönemeyer) - C'est un gars (avec Édith Piaf).

CD 2
Yesterday when I was young (avec Elton John) - Quiet love (avec Liza Minnelli) - Love is new everyday (avec Sting) - Young at heart (avec Franck Sinatra) - To die of love (avec Nana Mouskouri) - She (avec Bryan Ferry) - I didn't see the time go by (avec Paul Anka) - You and me (avec Céline Dion) - La bohème (version anglaise) (avec Josh Groban) - El barco ya se fue (avec Placido Domingo) - The sound of your name (avec Carole King) - You've got to learn (avec Johnny Hallyday) - Parigi in augusto (avec Laura Pausini) - Als es mir beschissen ging (avec Herbert Grönemeyer) - Everybody loves somebody sometime (avec Dean Martin).

Concert et DVD

Ses concerts

1965 : The World of Charles Aznavour.

1965 : All about love (Hollywood).

1968 : Face au public (Paris - Olympia).

1968 : Aznavour in Tokyo (Tokyo).

1971 : Charles Aznavour, Live in Japan (Tokyo).

1972 : Olympia (Paris).

1978 : Guichets fermés (Paris - Olympia).

1980 : Charles Aznavour est à l'Olympia (Paris).

1987 : Récital Aznavour (Paris - Palais des Congrès).

1994 : Palais des Congrès (Paris).

1996 : Charles Aznavour, Carnégie hall (NewYork).

1997 : Aznavour-Minnelli au Palais des Congrès de Paris.

1997-1998 : Palais des Congrès (Paris).

2000 : Palais des Congrès (Paris).

2004 : Palais des Congrès (Paris).

2004 : Bon anniversaire Charles (Paris - Palais des Congrès).

2007 : Charles Aznavour et ses amis à l'Opéra Garnier.

Ses DVD

1999 : Aznavour live - Palais des Congrès 97/98 avec Liza Minnelli (EMI).

2001 : Aznavour live - Olympia 68/72/78/80 (EMI).

2001 : Charles Aznavour au Carnégie Hall (New York, juin 1996) (EMI).

2001 : Aznavour – Pour toi Arménie (à l'opéra d'Erevan, septembre 1996).

2003 : Aznavour live – Palais des Congrès 1994 (EMI).

2004 : Aznavour – Minnelli au Palais des Congrès de Paris (EMI).

2004 : Toronto 1980 (Bonus du coffret Aznavour/Indispensables) (EMI).

2004 : Bon Anniversaire Charles – Palais des Congrès 2004 (EMI).

2004 : Bon Anniversaire Charles ! Spectacle télédiffusé pour le 80e anniversaire de Charles Aznavour, 22 mai 2004) (EMI).

2005 : Charles Aznavour 2000 – Concert intégral (EMI).

2006 : The Royal Opera (Covent Garden, Londres).

2007 : Charles Aznavour en concert à Erevan (EMI).

2008 : Charles Aznavour et ses amis à l'Opéra Garnier (EMI).

2009 : Anthologie, vol. 1 – 1955-1972 (coffret 3 DVD) (INA/EMI).

2010 : Anthologie, vol. 2 – 1973-1999 (coffret 3 DVD) (INA/EMI).

Du grand écran aux étranges lucarnes

On dit toujours d'Aznavour qu'il doit d'avoir fait ses débuts au cinéma à sa notoriété acquise de chanteur. C'est plutôt le contraire : acteur, il l'était dès son plus jeune âge.

En 1936, il a 12 ans et joue dans *La guerre des gosses* de Jacques Daroy et, deux ans plus tard dans le film que Christian-Jacque a tiré du roman de Pierre Véry : *Les disparus de Saint-Agil.* Certes il fait avoir l'œil vigilant du cinéphile pour repérer le petit Charles parmi une pléiade d'acteurs prestigieux : Erich von Stroheim, Michel Simon, Aimé Clariond, Mouloudji... Lui apparaît à la 61e minute du film, pendant une dizaine de secondes, dans le premier plan séquence du réfectoire.

Mais il est exact que ses vrais débuts adultes à l'écran, il les fait en 1958 dans l'adaptation par Georges Franju de *La Tête contre les murs* d'Hervé Bazin. Il y joue le fou, aux côtés de Jean-Pierre Mocky qui vient de le diriger dans *Les Dragueurs.*

Charles Aznavour s'impose d'emblée, au point que Truffaut, dans le sillage du succès des *Quatre cents coups,* monte son deuxième film autour de lui : cela donnera un pur chef-d'œuvre : *Tirez sur le pianiste.* Le personnage de ce grand concertiste devenu musicien de bar à la suite d'une tragédie intime lui colle à la peau.

Aznavour aura d'autres occasions de composer des personnages mémorables, mais soit ils seront secondaires : jamais il ne retrouvera l'occasion de se déployer aussi complètement que dans le film de François Truffaut.

Le secret d'Aznavour acteur ? D'abord cette silhouette, reconnaissable entre toutes et qui fait aussi de lui une étonnante bête de scène. Il est l'incarnation même de l'homme écrasé par la vie, une sorte de Chaplin résolument mélancolique.

Mais le cinéma est un art du gros plan, et c'est dans l'extraordinaire sobriété et expressivité de son visage que réside le principal atout d'Aznavour à l'écran. On peut lire dans son regard les moindres soubresauts de ses débats intérieurs. D'où cette impression de familiarité naturelle qu'il établit avec le spectateur, qui trouve en lui l'écho de ses propres inquiétudes, et le reflet de ses illusions perdues.

Sur grand écran

1936 : La Guerre des gosses, de Jacques Daroy.

LE PITCH : Séparés par une haine ancestrale, deux petits villages du Midi voient leur population enfantine se livrer à une guerre sans merci. Première adaptation cinématographique du roman *La guerre des boutons*.

LE CASTING : Charles Aznavour (12 ans). Saturnin Fabre. Jean Murat...

1938 : Les Disparus de Saint-Agil, de Christian-Jaque.

LE PITCH : Trois étudiants du collège de Saint-Agil disparaissent mystérieusement après avoir surpris un visiteur nocturne.

LE CASTING : Charles Aznavour. Erich Von Stroheim. Michel Simon...

1946 : Adieu chérie, de Raymond Bernard.

LE PITCH : Un jeune bourgeois fêtard propose a une belle entraîneuse de l'épouser en lieu et place d'une riche héritière.

LE CASTING : Charles Aznavour. Danielle Darrieux. Alice Tissot...

1949 : Dans la vie tout s'arrange, de Marcel Cravenne.

LE PITCH : Elizabeth Rockwell accepte de cohabiter avec des enfants qui "squattent" le château qu'elle vient d'hériter sur la Côte d'Azur.

LE CASTING : Charles Aznavour. Merle Obéron. Dora Doll...

1957 : C'est arrivé à 36 chandelles, de Henri Diamant-Berger.

LE PITCH : Michel et Brigitte veulent se marier mais la mère de Brigitte, tente d'empêcher cette union en lui présentant Hugues, un jeune homme qui fait partie de l'équipe de Jean Nohain, l'animateur de jeux télévisés.

LE CASTING : Charles Aznavour. Charles Trenet. Fernand Raynaud...

1957 : Paris Music Hall, de Stany Cordier

GENRE : Film musical.

LE CASTING : Charles Aznavour. Mick Micheyl. Geneviève Kervine...

1957 : **Une Gosse sensass'**, de Robert Bibal.

LE PITCH : Un Français préfère perdre un pari important plutôt que de tenir parole : ne pas conquérir la fiancée d'un ami américain.

LE CASTING : Charles Aznavour. Jean Bretonnière. Geneviève Kervine...

1959 : Pourquoi viens-tu si tard ?, de Henri Decoin.

LE PITCH : Walter, reporter photographe, rencontre Catherine, une jeune avocate dont il tombe amoureux. Spécialiste des affaires liées aux alcooliques, elle lui cache qu'elle même a bu, à la suite d'un chagrin d'amour.

LE CASTING : Charles Aznavour. Michèle Morgan, Henri Vidal...

1959 : Les Dragueurs, de Jean-Pierre Mocky.

LE PITCH : Freddy, un dragueur qui cherche la femme idéale et Joseph, un modeste employé qui vit sagement, se rencontrent et passent leur nuit du samedi à draguer les femmes dans Paris.

LE CASTING : Charles Aznavour. Jacques Charrier. Dany Robin...

1959 : La Tête contre les murs, de Georges Franju.

LE PITCH : François Gérane, interné dans un asile psychiatrique devient l'ami de Heurtevent, un épileptique. Ensemble, ils s'évadent. Repris, Heurtevent se suicide et François se cache chez une amie.

LE CASTING : Charles Aznavour. Jean-Pierre Mocky. Paul Meurisse...

RÉCOMPENSE : Étoile de Cristal du meilleur acteur.

1959 : Oh ! Qué mambo, de John Berry.

LE PITCH : Pour se consoler de ses déboires conjugaux, Miguel, caissier d'une banque, dépense toute sa paie au music-hall. Engagé comme chanteur, il est soupçonné d'un hold-up qui a eu lieu dans sa banque.

LE CASTING : Charles Aznavour. Magali Noël. Dario Moreno.

1959 : Le Testament d'Orphée, de Jean Cocteau.

LE PITCH : Jean Cocteau, le poète, s'est projeté à travers le temps et il lui est difficile de retrouver son époque. Suite à la mort d'un savant, le poète récupère son invention : des balles de revolver pour anéantir le temps.

LE CASTING : Charles Aznavour. Jean Cocteau. Jean Marais...

1960 : Tirez sur le pianiste, de François Truffaut.

LE PITCH : Un timide pianiste de jazz se souvient de la tragédie qui a provoqué la mort de sa femme alors qu'il était un brillant artiste de concert. Poursuivi par des tueurs, il doit encore se défendre…

LE CASTING : Charles Aznavour. Marie Dubois. Nicole Berger…

1960 : Le Passage du Rhin, de André Cayatte.

LE PITCH : Histoire de deux prisonniers, l'un s'évade et revient en France, l'autre refuse et reste en Allemagne, seul homme dans un village.

LE CASTING : Charles Aznavour, Nicole Courcel. Georges Rivière…

RÉCOMPENSE : Grand Prix du Festival de Venise.

1961 : Les Lions sont lâchés, de Henri Verneuil.

LE PITCH : Albertine s'ennuie à mourir à Bordeaux. Abandonnant son mari, elle vient a Paris pensant y vivre vraiment. Après quelques galantes aventures, elle perd ses illusions : les lions parisiens sont fatigués !

LE CASTING : Charles Aznavour. Jean-Claude Brialy. Danielle Darrieux…

1961 : Un Taxi pour Tobrouk, de Denys de La Patellière.

LE PITCH : Après l'attaque d'un dépôt d'essence allemand, un commando français de quatre hommes se retrouve sans officier. À la recherche de leur unité, ils vont vivre une aventure humaine extraordinaire.

LE CASTING : Charles Aznavour. Lino Ventura. Maurice Biraud…

1961 : Gosse de Paris, de Marcel Martin.

LE PITCH : introuvable.

LE CASTING : Charles Aznavour également scénariste et compositeur.

1962 : Les Quatre vérités, de René Clair.

LE PITCH : Quatre brèves histoires inspirées de la morale de quatre fables de La Fontaine.

LE CASTING : Charles Aznavour. Leslie Caron. Raymond Bussières…

1962 : Le Diable et les dix Commandements, de Julien Duvivier.

LE PITCH : Film à sketches : six histoires très homogènes.

LE CASTING : Charles Aznavour. Micheline Presle. Françoise Arnoul. Jean-Claude Brialy…

1962 : Horace 62, de Andre Versini.

LE PITCH : Lors d'un enterrement à Paris, deux clans corses se déclarent la guerre. Motif : une histoire fâcheuse de chien empoisonné, il y a plusieurs générations.

LE CASTING : Charles Aznavour. Raymond Pellegrin. Giovanna Ralli…

1962 : Le Rat d'Amérique, de Jean-Gabriel Albicocco.

LE PITCH : Son oncle habite au Paraguay : Charles y va, désireux, à 30 ans, de faire fortune. Sur place, les désillusions se succèdent.

LE CASTING : Charles Aznavour. Franco Fabrizi. François Prévost…

1962 : Esame di guida, de Denys de La Patellière.

LE PITCH : Un jeune homme débarque à Rome et est dépossédé de tous ses biens. Mais cet épisode signe, en fait, le début de sa chance : une série de rencontres avec des personnes généreuses va le faire devenir riche.

LE CASTING : Charles Aznavour. Arletty…

1963 : Tempo di Roma, de Denys de La Patellière.

LE PITCH : Un jeune homme sans fortune arrive à Rome. Il découvre peu à peu la ville et la fait découvrir aux autres en devenant guide touristique. Il connaît en même temps une histoire d'amour avec une femme et une amitié à la fois intellectuelle et passionnée avec un homme.

LE CASTING : Charles Aznavour. Arletty. Diego Fabbri...

1963 : Pourquoi Paris ? de Denys de La Patellière.

LE PITCH : Monique, une belge, vient a Paris pour apprendre la peinture et devenir une artiste. Elle suit des cours a l'Académie puis devient mannequin-photo et va décorer une pochette de disque d'un chanteur.

LE CASTING : Charles Aznavour. Danielle Darrieux. Ray Ventura...

1963 : Les Vierges, de Jean-Pierre Mocky.

LE PITCH : Cinq sketches relatant les aventures amoureuses de quelques filles qui perdent leur virginité.

LE CASTING : Charles Aznavour. Gérard Blain. Jean Poiret...

1963 : Cherchez l'idole, de Michel Boisrond.

LE PITCH : À Cannes, Richard dérobe le diamant de Mylène Demongeot et le cache dans l'une des guitares d'un magasin de musique. Quand il revient le chercher, il apprend que tous les instruments ont été vendus à une troupe de musiciens.

LE CASTING : Charles Aznavour. Sylvie Vartan. Johnny Hallyday. Eddy Mitchell. Frank Alamo...

1964 : Haute infidélité, de Luciano Salce.

LE PITCH : Les vacances tranquilles d'un ménage sont bouleversées par un homme très attentionné. Une épouse, un peu folle, est insatisfaite du commerce de son mari. Une femme mariée se console dans les bras d'un ami. Un homme marié démuni joue à quitte ou double avec un créancier.

Le casting : Charles Aznavour. Franco Rossi. Elio Petri. Mario Monicelli.

1964 : Thomas l'imposteur, de Georges Franju.

Le pitch : En 1941, une princesse devenue infirmière est aidée par un jeune sous-lieutenant qui a usurpé son identité.

Le casting : Charles Aznavour. Emmanuelle Riva. Jean Servais...

1965 : La Métamorphose des cloportes, de Pierre Granier-Deferre.

Le pitch : Lors d'un cambriolage, Alphonse est arrêté et condamné à cinq ans de prison. À sa sortie, il retrouve ses complices, qui se sont approprié le magot, et décide de les tuer un par un...

Le casting : Charles Aznavour. Pierre Brasseur. Lino Ventura...

1965 : **Paris au mois d'août**, de Pierre Granier-Deferre.

Le pitch : Après avoir emmené femme et enfants à la gare pour les vacances, Henri organise sa vie de célibataire à Paris.

Le casting : Charles Aznavour. Susan Hampshire. Daniel Ivernel...

1966 : Le Facteur s'en va-t-en guerre, de Claude Bernard-Aubert.

Le pitch : Un facteur parisien, lassé par son travail, part pour l'Indochine et se retrouve en pleine guerre. L'amitié de ses compagnons l'aide à supporter l'autorité du commandant. Tous sont faits prisonniers et réussissent a s'évader.

Le casting : Charles Aznavour. Daniel Ceccaldi. Michel Galabru...

1968 : Caroline chérie, de Denys de La Patellière.

Le pitch : Un remake du film de Richard Pottier (1951), avec Martine Carol. Jeune aristocrate qui fête ses seize ans le 14 juillet 1789, Caroline de Bièvre va vivre péniblement la Révolution, tout en cherchant à retrouver son premier amour : Gaston de Sallanches.

Le casting : Charles Aznavour. France Anglade. Bernard Blier. Jean-Claude Brialy…

1968 : Candy, de Christian Marquand.

Le pitch : Candy, une délicieuse ingénue à la voix sucrée, décide de quitter son lycée et sa banlieue tranquille pour entreprendre un voyage initiatique, à la recherche d'elle-même. Une fable érotique et psychédélique.

Le casting : Charles Aznavour (en bossu lubrique). Ewa Aulin. Marlon Brando. Richard Burton…

1969 : Le Temps des loups, de Sergio Gobbi.

Le pitch : L'affrontement entre Robert "Dillinger", le plus grand truand français, et son ami d'enfance Kramer, chef de la brigade anti-gang.

Le casting : Charles Aznavour. Robert Hossein. Virna Lisi…

1970 : L'Amour, de Richard Balducci.

Le pitch : Un jeune couple vient de se marier. Lui, Bob est dessinateur publicitaire. Elle, Jacky, est étalagiste dans un grand magasin. L'amour de deux êtres jeunes, la vie avec ses petits ennuis et ses grandes joies…

Le casting : Charles Aznavour. José-Maria Flotats. Martine Brochard…

1970 : Les derniers Aventuriers, de Lewis Gilbert.

Le pitch : Dan Xenos, fils d'un ancien héros d'un pays d'Amérique du Sud, parti se réfugier en Europe où il mène une existence fort amorale, va se retrouver rattrapé par le passé qu'il avait tenté d'oublier.

Le casting : Charles Aznavour. Ernest Borgnine. Candice Bergen…

1970 : The Games, de Michael Winner.

LE PITCH : Dans les coulisses des jeux olympiques.

LE CASTING : Charles Aznavour. Michael Crawford. Ryan O'Neal...

1971 : La Part des lions, de Jean Larriaga.

LE PITCH : Un écrivain et un voleur habile décident de mettre en commun leurs talents respectifs pour organiser un hold-up. Mais un grain de sable vient perturber le déroulement des opérations.

LE CASTING : Charles Aznavour. Robert Hossein. Michel Constantin.

1971 : Un beau monstre, de Sergio Gobbi.

LE PITCH : Un homme, dont le seul plaisir est de torturer moralement ceux qu'il aime, provoque le suicide de son épouse. Une jeune femme s'éprend de lui, et le suivra au bout de sa folie. Portrait pathologique d'un monstre.

LE CASTING : Charles Aznavour. Helmut Berger. Virna Lisi...

1972 : Les Intrus, de Sergio Gobbi.

LE PITCH : Charles est chirurgien. Il vit heureux avec sa femme Françoise et sa fille de trois ans : Viviane. L'enlèvement de son enfant et la demande de rançon du kidnappeur vont bouleverser sa vie.

LE CASTING : Charles Aznavour. Raymond Pellegrin. Marie-Christine Barrault...

1973 : The Selfish giant, de Peter Zander.

LE PITCH : Court métrage d'après l'œuvre d'Oscar Wilde

LE CASTING : Doublage, Charles Aznavour.

1973 : The Blockhouse, de Clive Rees.

LE PITCH : En 1944, sept hommes sont enfermés dans un bunker de la Wehrmacht. Une douloureuse et grave apathie va les gagner. Deux seulement seront sauvés, après sept années de détention.

LE CASTING : Charles Aznavour. Jeremy Kemp. Peter Sellers…

1974 : Dix petits nègres, de Peter Collinson.

LE PITCH : Dix personnes sont invitées par le mystérieux Owen dans son palais iranien. Seuls deux domestiques les accueillent. Au cours du premier repas, une voix mystérieuse leur annonce qu'ils sont tous des criminels impunis, mais que justice va être rendue…

LE CASTING : Charles Aznavour. Oliver Reed. Stéphane Audran…

1976 : Folies bourgeoises, de Claude Chabrol.

LE PITCH : Claire de la Tour Picquet s'aperçoit que son mari, un écrivain, et son amant, un éditeur de renom, la trompent l'un et l'autre.

LE CASTING : Charles Aznavour. Stéphane Audran. Jean-Pierre Cassel…

1976 : Intervention Delta, de Douglas Hickox.

LE PITCH : La femme, Ellen et le fils, Jimmy, de Jonas Bracken, un homme d'affaires, sont enlevés par des révolutionnaires grecs qui réclament une rançon de cinq millions de dollars pour acheter des armes.

LE CASTING : Charles Aznavour. James Coburn. Suzannah York…

1979 : Le Tambour, de Volker Schlöndorff.

LE PITCH : À la fin des années vingt, dans la région de Dantzig, Oscar, refusant le monde des adultes cruel et surfait, décide à l'âge de trois ans de ne plus grandir.

LE CASTING : Charles Aznavour. David Bennent. Angela Winkler…

RÉCOMPENSE : Palme d'Or du Festival de Cannes.

1979 : Ciao, les mecs, de Sergio Gobbi.

LE PITCH : Abandonné par son amie, un quadragénaire ne supporte pas sa nouvelle solitude malgré l'amitié de ses copains et cherche par tous les moyens à reconquérir celle qu'il aime.

LE CASTING : Charles Aznavour. Anne Lonnberg. Gérard Hérold...

1982 : Les Fantômes du chapelier, de Claude Chabrol.

LE PITCH : Après avoir assassiné sa femme, un chapelier fait croire qu'elle est seulement malade, en faisant apparaître un mannequin assis dans un fauteuil devant la fenêtre. Il poursuit ses crimes pour se protéger.

LE CASTING : Charles Aznavour. Michel Serrault. Monique Chaumette...

1982 : Qu'est-ce qui fait courir David ?, de Elie Chouraqui.

LE PITCH : À 30 ans, David écrit le scénario de son nouveau film, autobiographique, où il est question de ses origines juives, de son enfance et de ses parents.

LE CASTING : Charles Aznavour. Francis Huster. Nicole Garcia...

1983 : Der Zauberberg (La Montagne magique) de Hans W. Geissendörfer.

LE PITCH : Adaptation d'un roman de Thomas Mann qui fait écho à *Mort à Venise* et dont le thème est la séduction de la mort et de la maladie.

LE CASTING : Charles Aznavour. Marie-France Pisier. Rod Steiger...

1983 : Une Jeunesse, de Moshe Mizrahi.

LE PITCH : Un couple sans histoire, lui veilleur de nuit, elle chanteuse sans avenir, se remémore ses débuts difficiles dans un Paris indifférent.

LE CASTING : Charles Aznavour. Ariane Lartéguy. Jacques Dutronc...

1983 : Édith et Marcel, de Claude Lelouch.

LE PITCH : Ils étaient très différents, il avait ses poings, elle avait sa voix, tous deux faisaient vibrer les foules. Quand ils se sont rencontrés, ils se sont aimés. Et la mort les a séparés.

LE CASTING : Charles Aznavour. Évelyne Bouix. Marcel Cerdan Jr. Jacques Villeret…

1984 : Viva la vie, de Claude Lelouch.

LE PITCH : Le même jour, dans les mêmes circonstances mais dans des lieux différents, un homme et une femme disparaissent pour réapparaître, trois jours plus tard. Ils annoncent qu'ils ont été enlevés par des extra-terrestres et qu'ils doivent prévenir l'humanité d'un danger nucléaire…

LE CASTING : Charles Aznavour. Michel Piccoli. Charlotte Rampling…

1986 : Yiddish Connection, de Paul Boujenah

LE PITCH : Zvi, en débarrassant un hangar avec Aaron, découvre un coffre-fort plein de dollars. Justement Zvi et ses amis ont besoin d'argent…

LE CASTING : Charles Aznavour. Ugo Tognazzi. Vincent Lindon…

1988 : Mangeclous, de Moshe Mizrahi.

LE PITCH : En 1938, cinq amis juifs appelés les Valeureux de France, sont installés en Céphalonie (parmi les îles grecques ioniennes). Ils se lancent un jour à la recherche d'un trésor.

LE CASTING : Charles Aznavour. Pierre Richard. Jacques Dufihlo…

1989 : Il Maestro, de Marion Hänsel.

LE PITCH : Walter Goldberg, brillant chef d'orchestre, revient en Italie après dix ans d'absence, pour diriger l'opéra de ses débuts. Victime d'un malaise, il décide de renoncer à son contrat.

LE CASTING : Charles Aznavour. Andréa Ferréol. Francis Lemaire…

1992 : Les Années campagne, de Philippe Leriche.

LE PITCH : Ses parents étant trop pris par la tourmente de la vie parisienne, Jules est venu vivre chez ses grands-parents à la campagne. Il passe son temps à jardiner ou pêcher avec son grand-père. Sa rencontre avec d'autres adolescents l'amènera à vivre ses premières amours.

LE CASTING : Charles Aznavour. Benoît Magimel. Françoise Arnoul…

1997 : Le Comédien, de Christian de Chalonge.

LE PITCH : Dans les coulisses du théâtre, le comédien voit débarquer, son ami d'enfance Maillard. Celui-ci est confronté à une situation embarrassante : sa jeune nièce Jacqueline s'est éprise du comédien… Sous couvert de la décourager, celui-ci la séduit.

LE CASTING : Charles Aznavour. Michel Serrault. Daniel Prévost…

1997 : Pondichéry, dernier comptoir des Indes, de Bernard Favre.

LE PITCH : Stanislas Charvin, jeune européen élevé à Marseille, débarque à Pondichéry pour emmener la dépouille de sa mère. Entre son combat contre son père qu'il hait, l'apprentissage de l'amour avec Clémence et les révélations sur sa mère : il fera là un bien éprouvant voyage.

LE CASTING : Charles Aznavour. Richard Bohringer. Vanessa Lhoste…

2001 : Laguna, de Dennis Berry.

LE PITCH : Le jeune Thomas voit ses parents mourir dans un attentat. Il est recueilli par Joë, un ami de la famille qui l'élève comme son fils. Mais un jour, Tony, le commanditaire de l'attentat, réapparaît. Thomas est obligé de s'exiler à Venise, chez Nicolas, un ami de Joë, ancien mafieux, qui le traite comme son propre fils, mais sa femme, Thelma, semble le haïr…

LE CASTING : Charles Aznavour. Henri Cavill. Emmanuelle Seigner…

2002 : Ararat, de Atom Egoyan.

LE PITCH : Un artiste tente de peindre le portrait de sa mère. Un metteur en scène veut réaliser le film de sa vie. Un jeune homme tente de passer la douane. Une jeune femme veut comprendre comment son père a disparu. Un acteur endosse le rôle du méchant sans en mesurer les conséquences. Une seule histoire les réunit : celle de l'Arménie.

LE CASTING : Charles Aznavour. Marie-Josée Croze. Bruce Greenwood...

2003 : La Vérité sur Charlie, de Jonathan Demme.

LE PITCH : Regina n'aura pas à demander le divorce à ce séducteur de Charlie épousé sur un coup de tête : on l'a assassiné. Et la veuve n'a guère le temps d'être éplorée, car nombreux sont ceux qui s'intéressent à une mallette de diamants cachée par Charlie.

LE CASTING : Charles Aznavour. Marc Whalberg. Tim Robbins...

2005 : Emmenez-moi, de Edmond Bensimon.

LE PITCH : Après sept années d'aide sociale, de logement insalubre, "d'inadaptation au monde du travail", Jean-Claude, 50 ans, n'est plus sûr que d'une chose : s'il a réussi à tenir le coup tout ce temps, ce n'est pas par hasard, mais grâce à son idole, son Dieu... Charles Aznavour !

LE CASTING : Charles Aznavour. Gérard Darmon. Zinédine Soualem...

2006 : Mon colonel, de Laurent Herbiet.

LE PITCH : Le colonel en retraite Raoul Duplan est trouvé chez lui, une balle dans la tête. Une lettre anonyme est envoyée aux enquêteurs : "Le colonel est mort à Saint-Arnaud". La machine des pouvoirs spéciaux et de la torture institutionnalisée se met en marche.

LE CASTING : Charles Aznavour. Robinson Stévenin. Cécile de France...

2009 : Là-haut, de Peter Docter.

LE PITCH : Carl réalise son rêve de vivre une grande aventure en attachant des milliers de ballons à sa maison pour s'envoler vers les régions sauvages de l'Amérique du Sud. Mais il s'aperçoit trop tard de la présence de Russell, un explorateur de 8 ans qui l'accompagnera dans son voyage.

LE CASTING : Charles Aznavour double le personnage de Carl.

Aux étranges lucarnes

1985 : **Paolino, la juste cause et une bonne raison, de** François Reichenbach.

1985 : Le Paria, de Denys de La Patellière.

1989 : **Laura** de Jeannot Szwarc.

1991 : **Il Ritomo di robot**, de Pino Passalacqua.

1991 : Le Chinois, de G. Marx/R. Bodegas-Rojo.

1991 : **Le Jockey de l'Arc de Triomphe**, de Pino Passalacqua.

1993 : **Un alibi en or**, de Michèle Ferrand.

1994 : **Baldipata**, de Michel Lang.

1996 : **Baldipata et la voleuse d'amour**, de Claude d'Anna.

1996 : **Baldipata et les petits riches**, de Claude d'Anna.

1997 : **Sans cérémonie**, de Michel Lang.

1997 : **Le Serment de Baldipata**, de Claude d'Anna.

1998 : **Baldipata et radio-trottoir**, de Claude d'Anna.

1999 : **Baldipata et Tini**, de Michel Mess.

1999 : **Les Mômes**, de Patrick Volson.

2001 : **Passage du bac**, de Olivier Langlois.

2004 : **Le Père Goriot**, de Jean-Daniel Verhaeghe.

En préparation pour 2014, sur France 2

Un documentaire signé : Marie Drucker

Les interventions médiatiques de Charles Aznavour sont rares, notamment sur sa vie privée. Toutefois, il a décidé de se livrer à une journaliste qu'il connaît bien : Marie Drucker. Dans les colonnes de *TV Mag* la journaliste annonce qu'elle prépare un documentaire sur Charles Aznavour après un entretien-confidence avec la star.

– *Ce document sera prêt dans quelques mois pour France 2 en prime time. Je l'écris et le réalise. C'est une vraie première parce qu'il accepte de se livrer comme il ne l'a jamais fait. Le tournage a commencé avec Damien Vercaemer, mon co-réalisateur. Pour la première fois, à l'âge de 90 ans, celui qui n'avait jamais accepté un portrait au long cours, nous reçoit chez lui, à Mouriès en Provence. Il y aura énormément d'archives inédites, notamment personnelles et jamais diffusées. Ce film exigera trois mois de montage, j'assure le commentaire mais je reste derrière la caméra, a déclaré Marie Drucker.*

Sur scène : théâtre et revues

Le théâtre

1933 : **Émile et les détectives**. Au Studio des Champs-Élysées.

1935 : **Margot**. Au Théâtre Marigny.

1935 : **Beaucoup de bruit pour rien**. Au Théâtre de la Madeleine.

1936 : **L'Enfant**. Au Théâtre de L'Odéon.

1939 : **Les Fâcheux**. En tournée.

1939 : **Arlequin magicien**. En tournée.

Les revues

1935 : **Ça c'est Marseille**. À l'Alcazar de Paris.

1936 : **Vive Marseille**. À l'Alcazar de Paris.

1938 : Son excellence. Au Théâtre des Variétés.

Bibliographie

Les livres de Charles Aznavour

1971 : Aznavour par Aznavour. Éditions Fayard.

1991 : **Des mots à l'affiche**. Le Cherche-midi Éditeur.

2003 : **Le temps des avants**. Éditions Flammarion.

2005 : Images de ma vie. Recueil de photos de Charles Aznavour. Éditions Flammarion.

2007 : Mon père, ce géant. Éditions Flammarion.

2009 : À voix basse. Éditions Don Quichotte.

2011 : D'une porte l'autre. Éditions Don Quichotte.

2011 : En haut de l'affiche. Éditions Flammarion.

Les livres sur Charles Aznavour

1971 : Charles Aznavour. Par Yves Salgues. Éditions Seghers.

1977 : Sur ma vie. Par Gérard Bardy. Éditions Pygmalion.

1986 : Petit frère. Par Aïda Aznavour-Garvarenz.

1996 : Charles Aznavour : Un homme et ses chansons, (l'intégralité de ses chansons). Livre de Poche.

1996 : La Ballade espagnole. Par Richard Balducci et Charles Aznavour. Le Cherche-midi Éditeur.

2000 : Mes chansons préférées. Par Charles Aznavour et Daniel Sciora. Christian Pirot.

2000 : Aznavour, le roi de cœur. Par Annie et Bernard Réval, préface de Pierre Roche. France-Empire.

2003 : Charles Aznavour. Par Christian Lamet. Librio.

2006 : Charles Aznavour ou Le destin apprivoisé. Par Daniel Pantchenko et Marc Robine. Fayard-Chorus.

2007 : Charles Aznavour, passionnément. Par Caroline Réali. City.

Table des matières

Achevé d'imprimer en novembre 2013 par EMD S.A.S. – 53110 Lassay-les-Châteaux
N° d'impression : 28770 – Dépôt légal : novembre 2013

Imprimé en France